How to use this bo

How to use this book.

Each conversation, song, rap, poem or joke is accompanied by this symbol.

This will quickly enable you to find the track required on the CDs.

The number in bold relates to the CD (1, 2 or 3).

The next number (not in bold) is the track required e.g. **2**.2 means CD2 track 2.

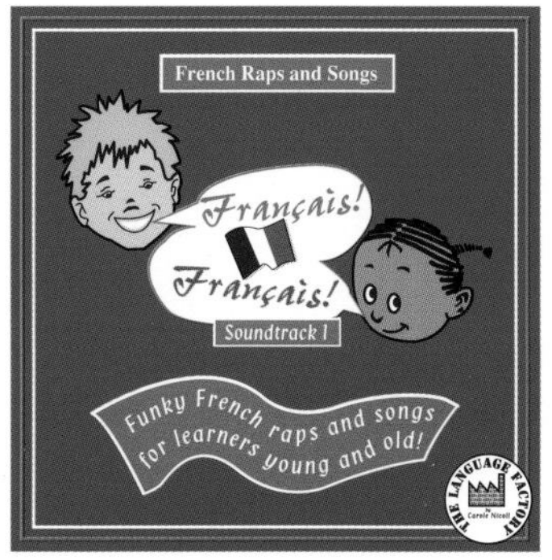

1 means CD1

2 means CD2

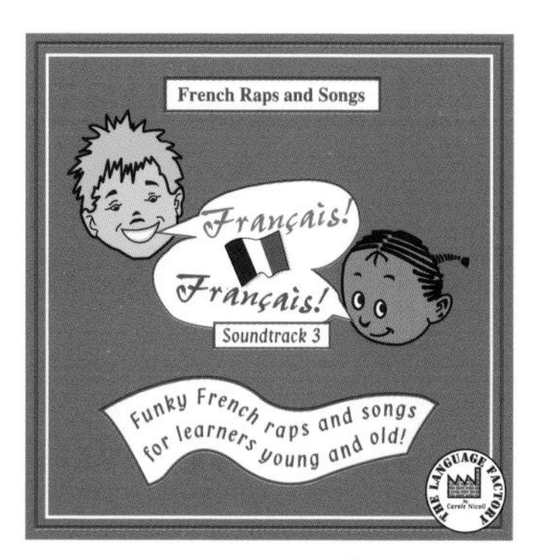

3 means CD3

K means Karaoke track e.g. *K.33* means that the Karaoke version of the song or rap can be found on track 33.

Chanson means ***song.***

Comptine means ***rhyme.***

Conversation means ***dialogue*** or ***conversation.***

Devinette means ***joke.***

Jeu de Son means ***tongue-twister.***

Rap means ***song*** or ***poem set to a rhythm.***

Table des matières

Contents *Page*

Table des matières

La grammaire

La grammaire
Les raps, les chansons, les comptines

Les salutations

Bonjour!
Good Morning!/Good Day!

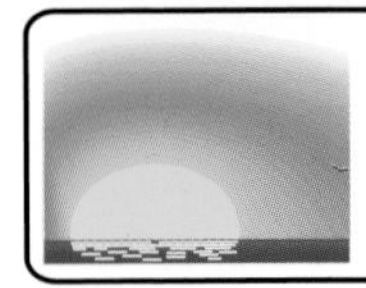

Bonsoir!
Good Afternoon!/ Good Evening!

Bonne nuit!
Good Night!

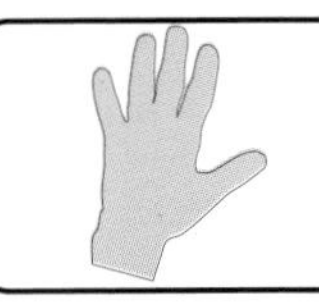

Salut!
Hello!Cheerio!

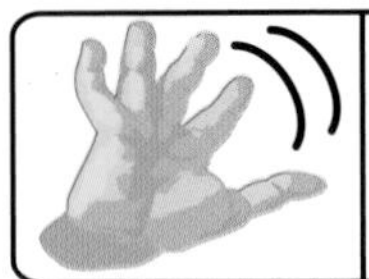

Au revoir
Goodbye!

Monsieur
Sir/Mr

le garçon
the boy

le copain
the chum, friend, pal (male)

Madame
lady/Mrs/Madam

Mademoiselle
Miss

la fille
the girl

la copine
the chum, friend, pal (female)

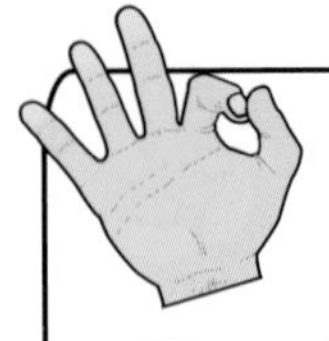

Conversation

1.1

Bonjour! Comment ça va?

Ça va bien, merci, et vous?

Ça va très bien, merci!

Au revoir. Monsieur!

A tout à l'heure. Mademoiselle

A la semaine prochaine!

Ça va bien, merci

Conversation

Comment ça va?

Ça ne va pas!

Pourquoi?

J'ai mal au doigt!

Quel dommage!

2.13

Les salutations

2

1.1.K.14

Rap

Bonjour! Bonsoir! Bonne nuit! (x 3)
Comment ça va? Ça va bien, merci!
Salut! Comment t'appelles-tu! (x 3)
Je m'appelle Michel!
Au revoir! A tout à l'heure! (x 3)
Au revoir! Madame!

1.1

Comptine

"Comment t'appelles-tu?"
"Je m'appelle Jean Luc!"
"Comment s'appelle-t-il?" …
"Il s'appelle Émile!"
"Comment s'appelle-t-elle?"
… Elle s'appelle Rachel!"
"Merci Denis!" …
… "À bientôt Hugo!"

2.14 K.39

Chanson

Bonjour fille!
Bonjour garçon!
Bonne nuit fille!
Bonne nuit garçon!
Comment t'appelles-tu?
Je m'appelle Jean Luc!
Salut fille! Salut garçon!

Bonsoir Monsieur!
Bonsoir Madame!
Mademoiselle! Monsieur!
Madame!
Comment ça va? Ça va très bien!
Comment ça va? Ça va bien!

Bon weekend!
A ce soir, copain!
À bientôt! Adieu! A demain!
A tout à l'heure, copine!
Bonnes vacances, copain!
A la semaine prochaine!
Bon voyage!

Conversation

A tout à l'heure!	*See you later!*
À bientôt!	*See you soon!*
A ce soir!	*See you this afternoon/ evening!*
A demain	*See you tomorrow!*
A lundi! A mardi!	*See you Monday!/ Tuesday!*
A la semaine prochaine!	*See you next week!*
Bon weekend!	*Have a good weekend!*
Bonnes vacances!	*Have a good holiday!*
Bon voyage!	*Have a good journey!*
Adieu!	*God Bless!*

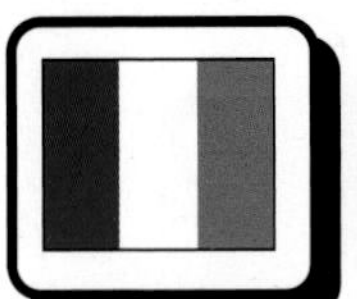

Les couleurs

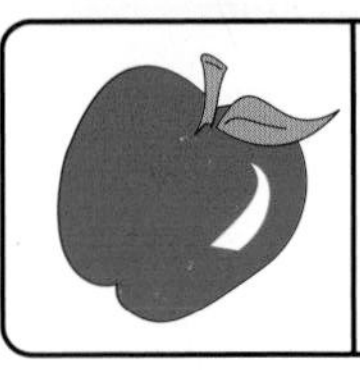

rouge

red

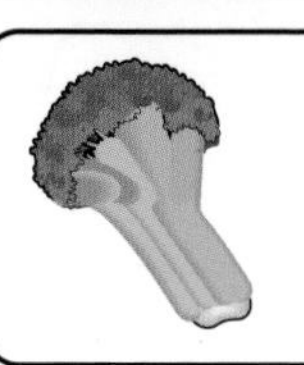

vert

green

jaune

yellow

bleu

blue

noir

black

rose

pink

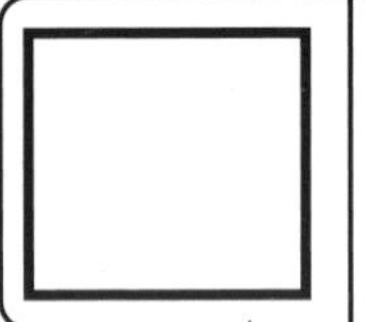

blanc

white

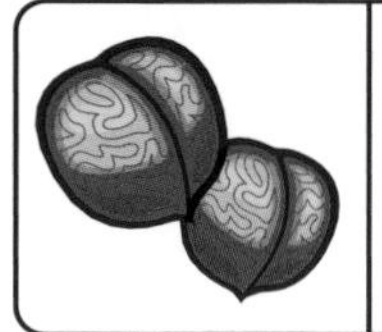

marron

chestnut brown

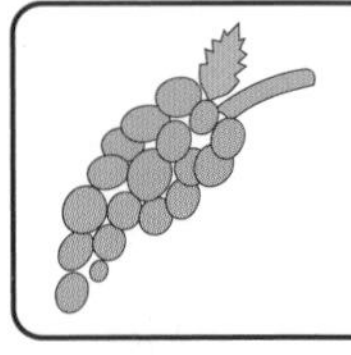

violet

purple

gris

grey

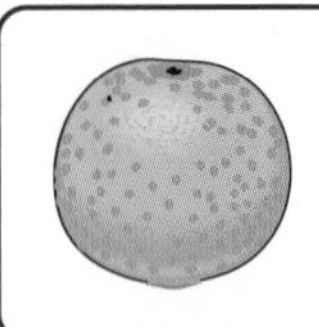

orange

orange

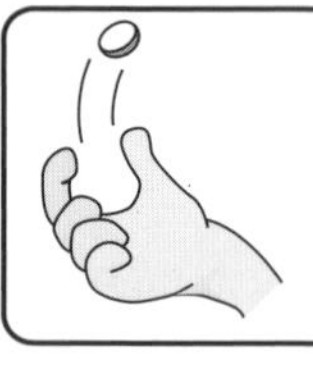

argent

silver/money

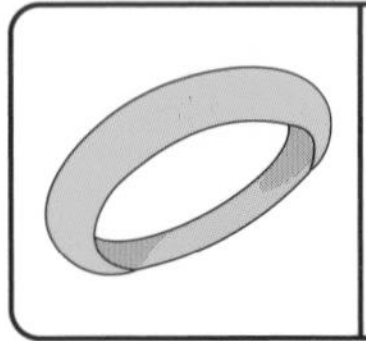

or

gold

bleu clair

light blue

bleu marine	**vert foncé**	**beige**	**crème**	**écossais**	**multicolore**	**roux**	**doré**	**argenté**	**brun**
navy blue	*dark green*	*beige*	*cream*	*tartan*	*multi-coloured*	*rust*	*golden*	*silvery*	*brown*

Conversations

1.2

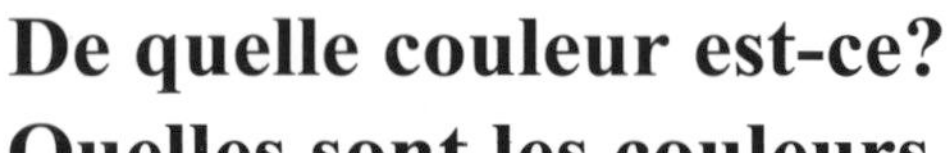

De quelle couleur est-ce?

Quelles sont les couleurs du drapeau français?

C'est rose! C'est orange!

Bleu, blanc et rouge, bien sûr!

Quelle est ta couleur préférée?

Quelles sont tes couleurs préférées?

Ma couleur préférée c'est le noir!

Mes couleurs préférées sont le noir et le blanc

Chanson

De quelle couleur, de quelle couleur, de quelle couleur, est-ce? (x 2)
Rouge, jaune, vert et bleu! (x 4)
Noir, blanc, rose, marron! (x 4)
Violet, gris, orange! (x 4)
Argent, or, bleu clair! (x 4)

Chanson

Le Tricolore! Le Tricolore!

Bleu, blanc, rouge!

Le Tricolore!

Chanson ... Mes couleurs préférées!

Quelle est ta couleur préférée?
Noir, blanc, marron?
Orange, violet?
Quelle est ta couleur préférée?
Rouge, jaune, bleu clair?
Orange, violet?
Ma couleur préférée est le rouge.
Ma couleur préférée est l'orange!
Ma couleur préférée est le jaune!
Ma couleur préférée est le blanc!

2.6 K.34

Quelle est ta couleur préférée?
Noir, blanc, marron?
Orange, violet?
Quelle est ta couleur préférée?
Rouge, jaune, bleu clair?
Orange, violet?

La salle de classe

5

un stylo — *a pen*

un crayon — *a pencil*

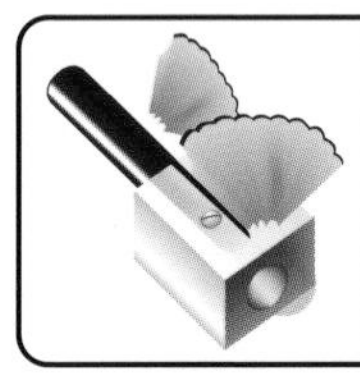

un taille-crayon — *a sharpener*

un sac à dos — *a rucksack*

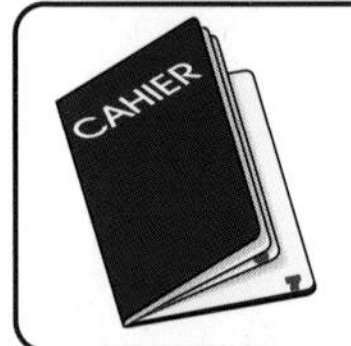

un cahier — *a jotter*

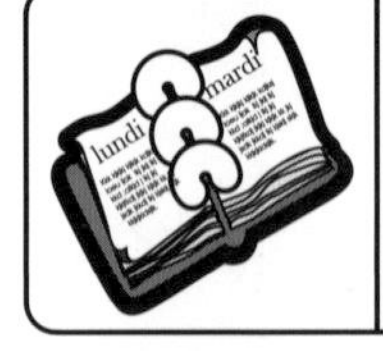

un agenda — *a diary*

un livre — *a book*

un professeur — *a teacher*

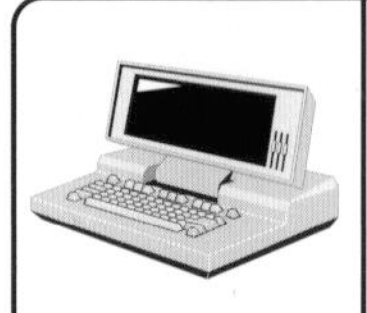

un ordinateur — *a computer*

un tableau blanc — *a white board*

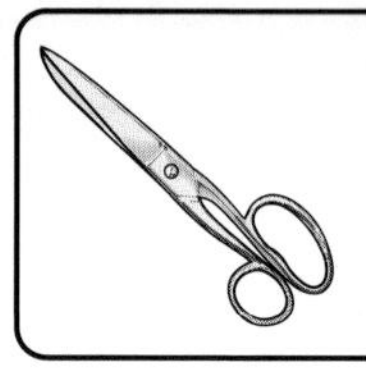

des ciseaux — *some scissors*

une table — *a table*

une chaise — *a chair*

une trousse — *a pencil case*

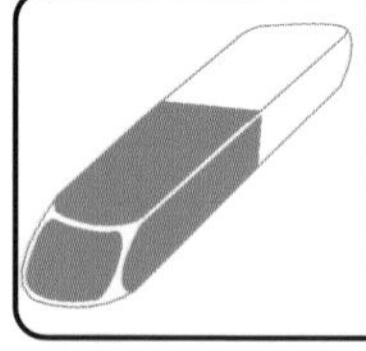

une gomme — *an eraser*

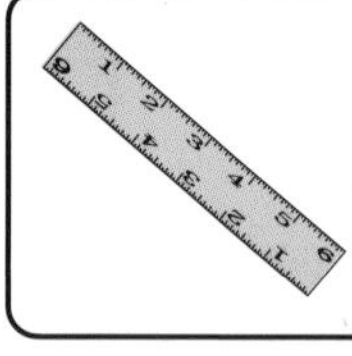

une règle — *a ruler*

une calculatrice — *a calculator*

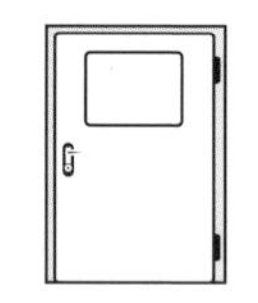

une porte — *the door*

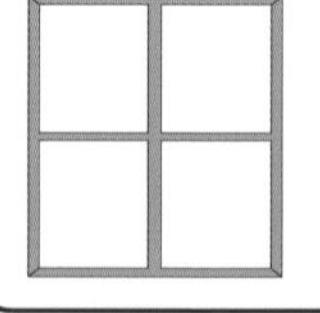

une fenêtre — *a window*

une poubelle — *a rubbish bin*

Chanson

1.5.K18

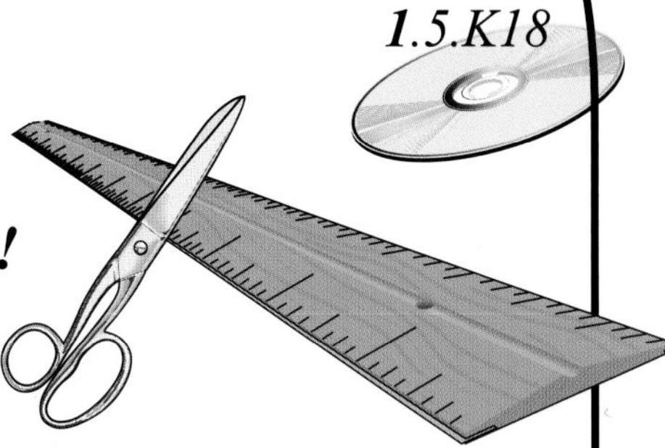

Dans ma trousse il y a un stylo!
Dans ma trousse il y a une règle!
Dans ma trousse il y a des ciseaux!
Une gomme et un taille-crayon!

Qu'est-ce qu'il y a? Où?
Qu'est-ce qu'il y a? Où?
Qu'est-ce qu'il y a dans ma trousse, à moi? (x 2)

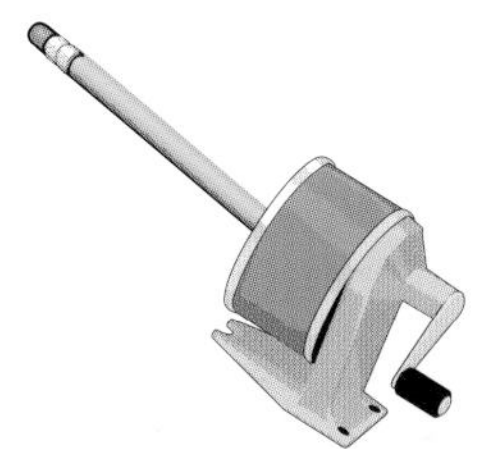

Dans mon sac il y a un cahier!
Dans mon sac il y a une trousse!
Dans mon sac il y a un agenda!
Un livre et une calculatrice!

Qu'est-ce qu'il y a? Où?
Qu'est-ce qu'il y a? Où?
Qu'est-ce qu'il y a dans mon sac à dos! (x 2)

Dans la classe il y a une fenêtre!
Une porte et un ordinateur!
Des chaises et des tables et un tableau blanc
Une poubelle et un professeur! Au revoir!

Qu'est-ce qu'il y a? Où?
Qu'est-ce qu'il y a? Où?
Qu'est-ce qu'il y a dans la salle de classe? (x 2)

Conversation

1.5

Qu'est-ce que c'est? C'est un ordinateur!
Qu'est-ce qu'il y a dans ta trousse?
Dans ma trousse il y a un stylo, un taille-crayon,
une gomme et des ciseaux!

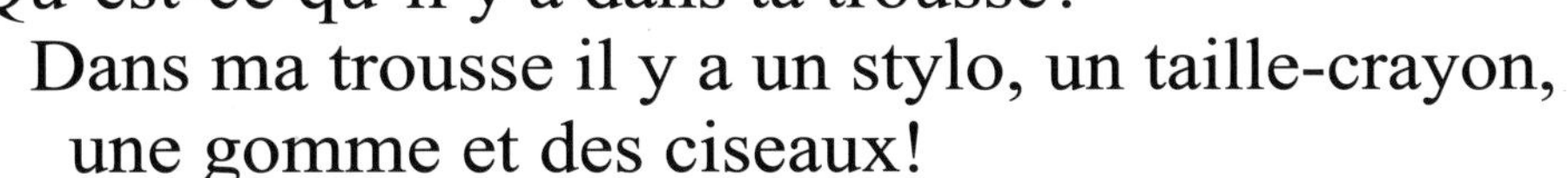

Qu'est-ce qu'il y a dans ton sac à dos?
Dans mon sac à dos il y a un livre, un cahier,
un agenda et une calculatrice.
Qu'est-ce qu'il y a dans la salle de classe?
Dans la salle de classe il y a des chaises, des tables,
une poubelle et un prof!

Les voyelles et l'alphabet

Listen to CD1 tracks 7 & 8 to hear the correct sounds.

a e i o u y

b c d g p t v w

f l m n s z

h j k q r x

See page 86 for phonetic transcript of alphabet.

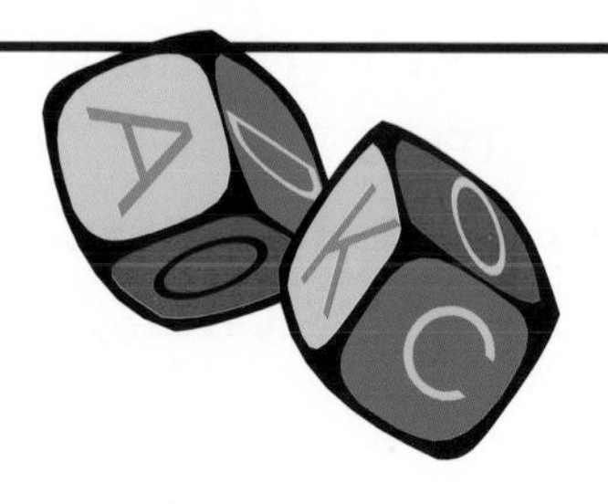

eeeooooo

Y is not a vowel but is sometimes considered as a half vowel.

L’alphabet

Conversation

Comment t’appelles-tu? Je m’appelle Laurence!

Comment ça s’écrit? Ça s’écrit **L.A.U.R.E.N.C.E.**

Chanson

A B C D E F G
H I J K L M N O P
Q R S T U V
W X Y Z

1.7 K.20

l’alphabet écossais!

2.12 K.38

A B C D
E F G H
I J K L M N!
O P Q R
S T U V
W X Y Z!

Les Voyelles

Comptine

A E I O U
A E I U O
E I O U A
A E O U I
A I O U E

Comment t’appelles tu?
Je m’appelle Hugo!
Comment ça va?
Ça va bien, merci!
A tout à l’heure!

Rap

A E I O U Y **(x 2)**

A E I O **(x 2)**

A E I O U Y

1.8 K.21

Les animaux domestiques

un chat — *a cat*

un chien — *a dog*

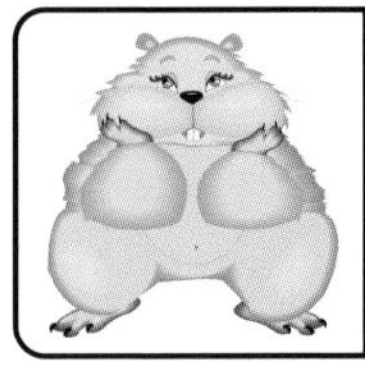

un hamster — *a hamster*

un poney/cheval — *a pony / horse*

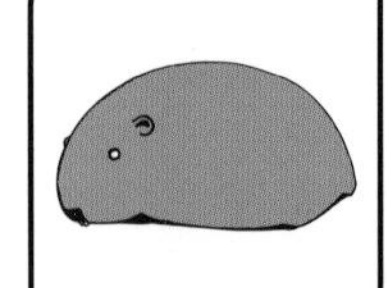

un cochon d'Inde — *a guinea pig*

un perroquet — *a parrot*

un poisson rouge — *a goldfish*

un lézard — *a lizard*

un rat — *a rat*

un phasme — *a stick insect*

un lapin — *a rabbit*

un serpent — *a snake*

un oiseau — *a bird*

un chaton — *a kitten*

un chiot — *a puppy*

un furet — *a ferret*

une tortue — *a tortoise*

une souris — *a mouse*

une perruche — *a budgie*

une gerbille — *a gerbil*

Les animaux domestiques

Conversation

As-tu un animal à la maison? — **Oui, j'ai un chien!**
Ah! Comment s'appelle-t-il? — **Il s'appelle Max!**
De quelle couleur est-il? — **Il est blanc!**
Quel âge a-t-il? — **Il a deux ans!**

As-tu un animal à la maison? — **Non, je n'en ai pas!**
Quel dommage!

1.13

Rap

As-tu un animal à la maison? (x 3)
Oui, j'ai un animal à la maison!

Oui, j'ai **un** chat!
Oui, j'ai **un** hamster!
Oui, j'ai **une** souris!
Oui, j'ai **une** gerbille!

Oui, j'ai **un** chien!
… et **un** cochon d'Inde!
… et **une** tortue!
… et **une** perruche!

As-tu un animal à la maison? (x 3)
Oui, j'ai un animal à la maison!

Oui, j'ai **un** lapin!
Oui, j'ai **un** poney!

… et **un** poisson!
… et **un** serpent!

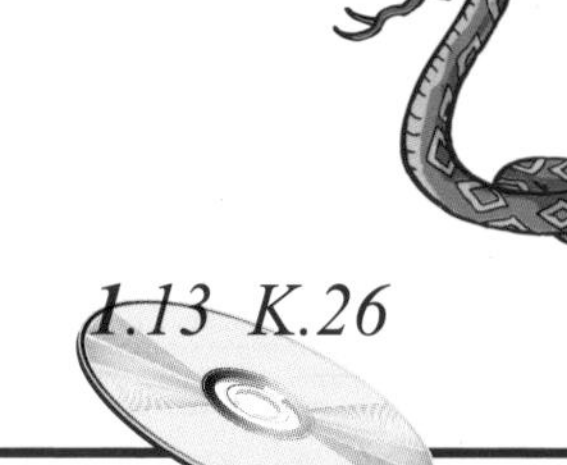

As-tu un animal dans une cage? (x 3)
Non, je n'en ai pas! Quel dommage!

1.13 K.26

Le temps

Il fait chaud

It is hot

Il y a du soleil

It is sunny

Il fait beau

It is fine

Il fait froid

It is cold

Il pleut

It is raining

Il neige

It is snowing

Il y a du vent

It is windy

Il y a des nuages

It is cloudy

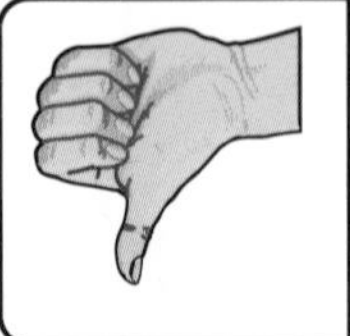

Il fait mauvais

It is bad weather

Il y a du brouillard

It is foggy

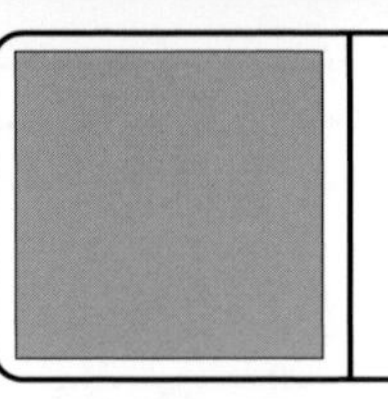

Il fait gris

It is grey

Il fait noir

It is dark

le ciel

the sky

le paysan

the peasant

le meunier

the miller

le moulin
Le moulin rouge

the mill

le parapluie

the umbrella

la grenouille

the frog

la pluie

the rain

L'île folle

Crazy Island!

Le temps

Conversations

1.11

Quel temps fait-il, aujourd'hui? — Aujourd'hui? Il fait mauvais!
Quel temps fait-il en automne? — En automne, il y a du vent et il fait mauvais!
Quel temps fait-il en hiver? — En hiver, il fait froid et il neige!
Quel temps fait-il au printemps? — **Au** printemps, il fait beau et il pleut!
Quel temps fait-il en été? — En été, il fait chaud et il y a du soleil!
Quel temps fait-il en Ecosse? — En Ecosse? Bof! Il y a du brouillard, et il y a **toujours** des nuages!

Quel temps fait-il en Afrique? — En Afrique, il fait chaud et il y a du soleil, mais quelquefois il pleut.
Quel temps fait-il en Islande? — En Islande, il fait froid et il neige, mais quelquefois il fait chaud!

2.24

Chanson

Quel temps fait-il? Quel temps fait-il?
Il fait chaud! Il fait chaud!
Il y a du soleil! Il y a du soleil!
Il fait beau! Il fait beau!

Quel temps fait-il? Quel temps fait-il?
Il fait froid! Il fait froid!
Il pleut, il pleut, il neige! Il pleut,
il pleut, il neige!
Il fait froid! Il fait froid!

Quel temps fait-il? Quel temps fait-il?
Il y a du vent! Il y a du vent!
Il y a des nuages! Il y a des nuages!
Viens chez moi! Viens chez moi!

Quel temps fait-il? Quel temps fait-il?
Il fait mauvais! Il fait mauvais!
Il y a du brouillard! Il y a du brouillard!
Quelle journée! Quelle journée!

1.11.K.24

Comptine

Meunier, tu dors!
Ton moulin va trop vite!
Meunier, tu dors!
Ton moulin va trop fort!
Ton moulin, ton moulin va trop vite!
Ton moulin, ton moulin va trop fort!

Comptine

Il pleut, il mouille.
C'est la fête à la grenouille!
Il fait beau temps:
C'est la fête au paysan!

Chanson

… Où est mon parapluie?

Quel temps fait-il?
Voici la pluie!
Il pleut, il pleut, il pleut! (x 2)
Quel temps fait il?
Le ciel est noir! (x 2)
Voici les nuages gris!
Où est mon parapluie?

2.25
K.45

Ma ville

un village — *a village*

un supermarché — *a supermarket*

un stade — *a stadium*

un parc — *a park*

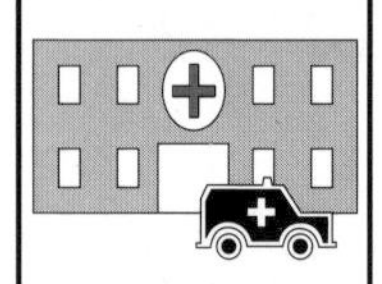
un hôpital — *a hospital*

un aéroport — *an airport*

un musée — *a museum*

un centre commercial — *a shopping centre*

un magasin — *a shop*

un théâtre — *a theatre*

une ville — *a town*

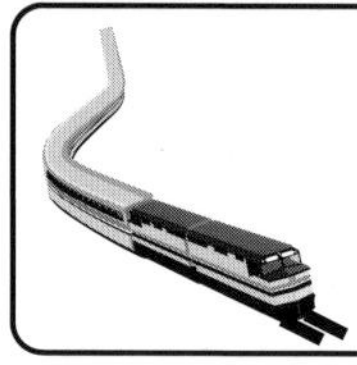
une gare (S.N.C.F.) — *a railway*

une piscine — *a swimming pool*

une discothèque — *a disco*

une patinoire — *a skating rink*

une église — *a church*

une fête foraine — *a fairground*

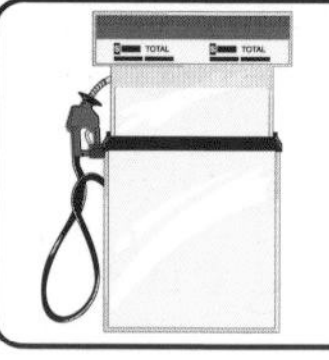
une station-service — *a petrol station*

une bibliothèque — *a library*

une école — *a school*

Ma ville

Conversation

Où habites-tu? J'habite à Aberdeen dans le nord-est de l'Ecosse.
Aberdeen, c'est une ville ou un village? C'est une ville!

Qu'est-ce qu'il y a à Aberdeen?
A Aberdeen il y a une patinoire, une plage et un aéroport!

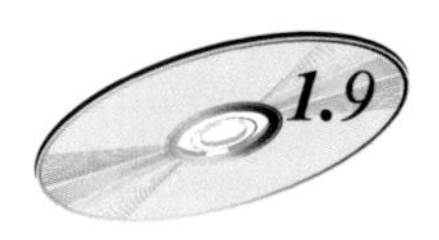

Où habites-tu? J'habite à Alford tout près d'Aberdeen!
Alford, c'est une ville ou un village? C'est un tout petit village!

Chanson
... Où habites-tu?

Où habites-tu? Hamish Mac!
Où habites-tu? Où habites-tu?
Moi j'habite à Aberdeen!
J'habite à Aberdeen!

Dis-moi où exactement?
Dis-moi où? Dis-moi où?
Dis-moi où, exactement?
C'est dans le nord-est de l'Ecosse.

Qu'est-ce qu'il y a à Aberdeen?
Qu'est-ce qu'il y a? Qu'est-ce qu'il y a?
Qu'est-ce qu'il y a à Aberdeen?
A Aberdeen en Ecosse?

Il y a une patinoire,
Des magasins et des cinémas!
Il y a un aéroport,
A Aberdeen, en Ecosse!

Il y a un hôpital,
Des parcs, et un centre commercial!
Il y a un centre sportif
A Aberdeen, en Ecosse!

Comptine

Des magasins! Une patinoire!
Une fête foraine! Un cinéma!
Un aéroport, une bibliothèque!
Ce soir, c'est la discothèque!

CHOUETTE!

3.13

Chanson
... Tournez à droite?

Pardon, Monsieur, pour aller à
la banque/la poste, s'il vous plaît (x 2)

Tournez à droite … puis
Tournez à gauche … puis
Allez tout droit … **la** voilà!
Merci bien!

Pardon, Monsieur, pour aller **au stade/ au parc**, s'il vous plaît!

Tournez à droite … puis
Tournez à gauche … puis
Allez tout droit, **le** voilà! Merci bien!

Ma ville

un syndicat d'initiative
a Tourist Office

un commissariat
a police station

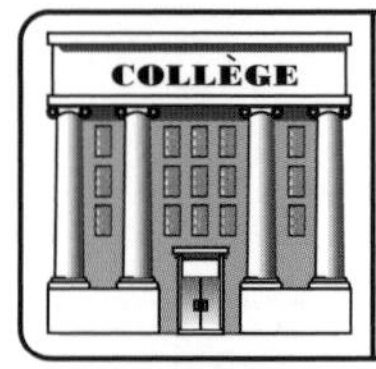

un collège
a school

un marché
a market

un café
a café

un centre sportif
a sports centre

une banque
a bank

une poste
a Post Office

une boulangerie
a bakery

des toilettes
toilets

à droite
to the right

à gauche
to the left

tout droit
straight on

Conversation

Pardon, Monsieur, pour aller à la banque, s'il vous plaît?

Tournez à droite, puis tournez à gauche, puis allez tout droit!

Merci, bien. Au revoir!

Les jours

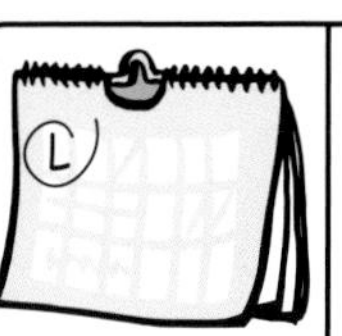

lundi
Monday

mardi
Tuesday

mercredi
Wednesday

jeudi
Thursday

vendredi
Friday

samedi
Saturday

dimanche
Sunday

le weekend
the weekend

le jour *the day*

la semaine *the week*

hier *yesterday*

aujourd'hui *today*

demain *tomorrow*

Conversation

2.1

C'est quel jour aujourd'hui? — C'est lundi!
C'était quel jour hier? — C'était dimanche!
Ce sera quel jour demain? — Ce sera mardi!

Chanson
... Les Jours

Lundi, mardi, mercredi!
Jeudi, vendredi, samedi!
Dimanche!
C'est quel jour aujourd'hui?
C'est?
C'est quel jour?
C'est quel jour,
aujourd'hui?

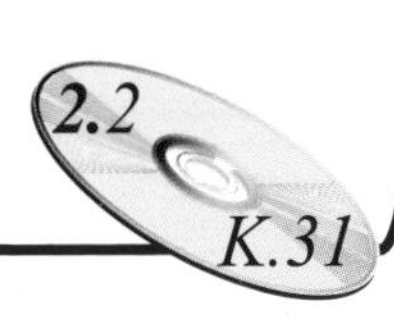

Les mois

Bonne année	**janvier**	*January*
Bonne fête	**février**	*February*
	mars	*March*
	avril	*April*
	mai	*May*
	juin	*June*
	juillet	*July*
	août	*August*
	septembre	*September*
	octobre	*October*
	novembre	*November*
	décembre	*December*

Conversation

Quel est ton mois préféré?
Pourquoi?

Mon mois préféré c'est juillet!
Parce qu'il fait chaud,
et c'est mon anniversaire!

2.3

Janvier, février, mars, avril, mai.
Juin, juillet, août! (x 2)
Septembre, octobre.
Novembre, décembre.
Avril, mai, juin, juillet! (x 2)
Janvier, février, mars, avril, mai.
Juin, juillet, août! (x 2)

2.4 K.32

Les mois et les dates

Chanson
... nombres 10 - 31

10 dix — **20** vingt — **21** (x 4) vingt et un

20 vingt — **30** trente — **31** (x 4) trente et un

22 vingt-deux — **23** vingt-trois

24 vingt-quatre — **25** vingt-cinq

2.K.49 (Karaoke only)

26 vingt-six — **27** vingt-sept

28 vingt-huit — **29** vingt-neuf — **30** trente

---

10 20 21 (x 4)
20 30 31 (x 4)
22 23 24 25 26 27
28 29 30

2.K.49 (Karaoke only)

Les vêtements

	**un chapeau** *hat*
	**un pantalon** *trousers*
	**un manteau** *coat*
	**un pull** *pullover*
	**un blazer** *blazer*
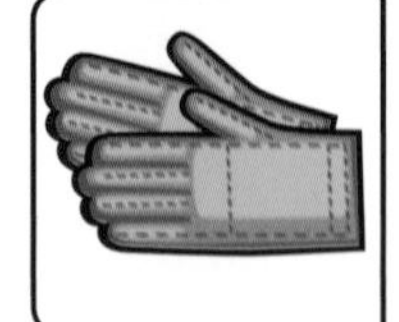	**des gants** *gloves*
	**un tee-shirt** *a tee shirt*
	**un short** *shorts*
	**un sweat** *sweatshirt*
	**des collants** *tights*
	**un uniforme** *school uniform*
	**un kilt** *kilt*
	**des baskets** *trainers*
	**des chaussures** *shoes*
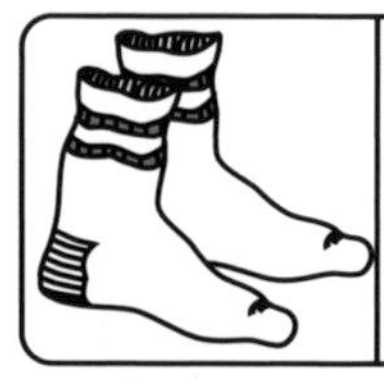	**des chaussettes** *socks*
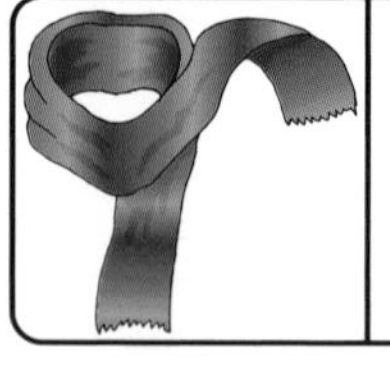	**une écharpe** *scarf*
	**une cravate** *tie*
	**une robe** *dress*
	**une chemise** *shirt*
	**une jupe** *skirt*

Chanson
...La machine à laver

3.9
K.48

Il y a dans la machine à laver

Un pull bleu et vert! Un pull bleu et vert!
Il y a dans la machine à laver
Un pull bleu et vert de ma mère!

Il y a dans la machine à laver
Un short noir et blanc, un short noir et blanc!
Il y a dans la machine à laver
Un short noir et blanc et un pull bleu
et vert de ma mère!

Il y a dans la machine à laver
Des gants violets, des gants violets!
Il y a dans la machine à laver
Des gants violets, un short noir et blanc et un pull bleu
et vert de ma mère!

Il y a dans la machine à laver
un pantalon gris, un pantalon gris
Il y a dans la machine à laver
Un pantalon gris, des gants violets, un short noir et blanc
et un pull bleu et vert de ma mère.

Il y a dans la machine à laver
Des chaussettes qui puent! Des chaussettes qui puent!
Il y a dans la machine à laver
Des chaussettes qui puent, un pantalon gris, des gants violets,
un short noir et blanc et un pull bleu et vert de ma mère.

Les vêtements

un jean

jeans

une veste

jacket

un slip

pants (underwear)

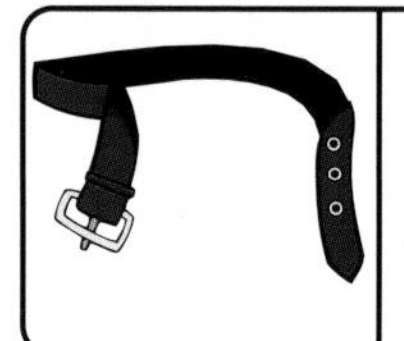

une ceinture

belt

un maillot de bain

swimming costume

une casquette

baseball cap

Conversation

Qu'est-ce que c'est?
C'est un pull vert foncé!
Qu'est ce que tu portes?
Je porte une chemise blanche et
un pantalon noir!
Décris ton uniforme!
Je porte un kilt écossais,
un blazer bleu marine et
une cravate bleue et jaune!
Quelle horreur!

3.8

Comptine

Chapeau, écharpe, manteau!
Pull, chemise et gants!
Chaussettes, chaussures, jupe, collant!
Robe et pantalon!

Qu'est-ce que tu portes Didier?
Qu'est-ce que tu portes?
Je porte des baskets, un petit sweat,
… Et un blazer bleu foncé!

Mon anniversaire 22

Conversation

Quelle est la date de ton anniversaire!
Mon anniversaire c'est le deux juin!
Quelle est la date de ton anniversaire?
Mon anniversaire c'est le trente et un décembre.
Ah! La Saint-Sylvestre! Quel dommage!

Chanson
... Bon Anniversaire!

Bon Anniversaire! Bon Anniversaire!
Bon Anniversaire! Bon Anniversaire!
Qu'est-ce qu'on t'a offert, pour ton anniversaire?
Qu'est-ce qu'on t'a offert, pour ton anniversaire?

"Qu'est-ce qu'on t'a offert pour ton anniversaire?
On m'a offert ....
Quelle chance!"

2.23
K.44

Rap
... Quelle est la date de ton anniversaire?

Quelle est la date de ton anniversaire? (x 3)
Dis-moi! Quelle est la date?

Mon anniversaire c'est le deux août!
Mon anniversaire c'est le vingt-six mai!
Mon anniversaire c'est le vingt-deux avril!
Dis-moi! Quelle est la date?
Mon anniversaire c'est le dix-huit juin!
Mon anniversaire c'est le neuf juillet!
Mon anniversaire c'est le vingt-sept juillet!
Dis-moi! Quelle est la date?

Les saisons

en automne

in Autumn

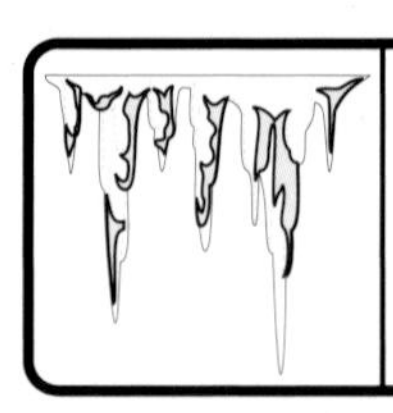

en hiver

in Winter

au printemps

in Spring

en été

in Summer

Conversation

L'automne, l'hiver
Quelle est la date de ton anniversaire?

C'est en automne?
Quelle est la date de ton anniversaire?

C'est en quelle saison?
Quel temps fait-il au printemps?
Quelle est ta saison préférée?

Pourquoi?

Le printemps, l'été!
Mon anniversaire c'est le dix-neuf août!
Non! C'est en été!
Mon anniversaire c'est le onze mai!
C'est au printemps, bien sûr!
Il fait beau mais il pleut!
Ma saison préférée c'est l'automne!
Parce que j'aime le vent et les nuages gris!

Rap

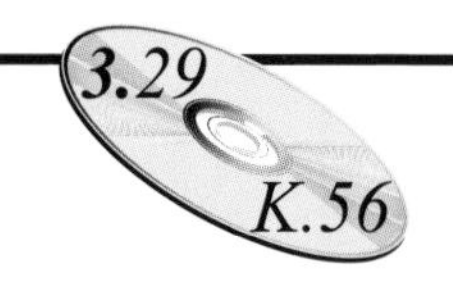

L'automne! L'hiver! Le printemps! L'été! (x 3)
Le printemps! L'été!
En automne, il y a du vent! En automne, il fait mauvais! (x 2)
En hiver, il fait froid! En hiver, il neige! Il neige! (x 2)
Au printemps, il fait beau! Au printemps, il pleut! Il pleut! (x 2)
En été il fait chaud! En été il y a du soleil!

Chanson
… Quelle est ta saison préférée?

Quelle est ta saison préférée?
L'automne, l'hiver, le printemps, l'été? (x 2)

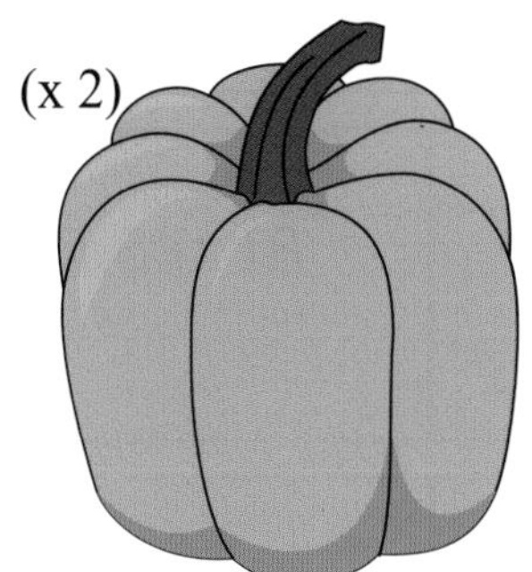

L'automne c'est ma saison préférée!
J'aime les mois quand il fait mauvais!
J'aime le vent et le ciel gris!
Et, en automne … c'est Halloween!

Quelle est ta saison préférée?
L'automne, l'hiver, le printemps, l'été? (x 2)

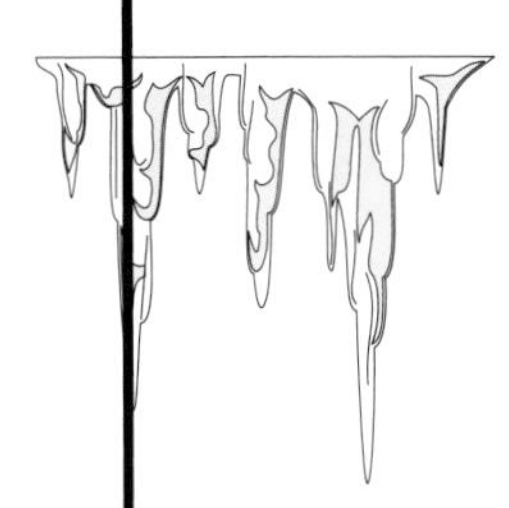

L'hiver c'est ma saison préférée!
Joyeux Noël et puis Bonne Année!
J'aime la neige dans le bois!
Oui en hiver, il fait très froid!

Quelle est ta saison préférée?
L'automne, l'hiver, le printemps, l'été? (x 2)

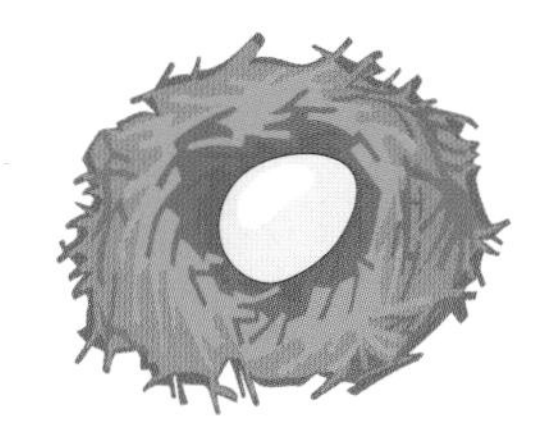

Le printemps c'est ma saison préférée!
J'aime les fleurs en mars, avril, mai!
J'aime les Fêtes de Pâques et la pluie!
Et au printemps, je fais du ski!

Quelle est ta saison préférée?
L'automne, l'hiver, le printemps, l'été? (x 2)

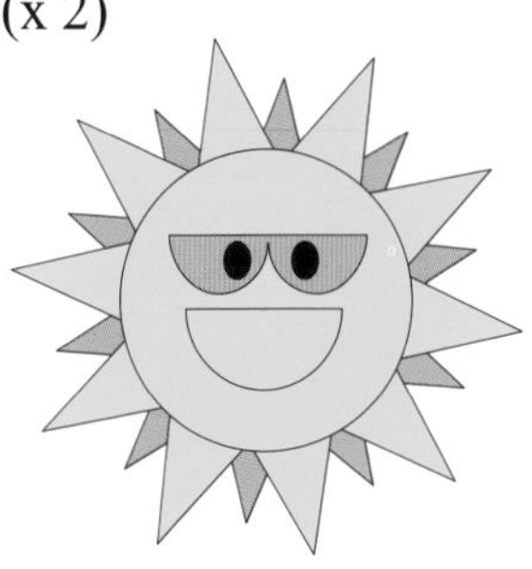

L'été c'est ma saison préférée!
J'aime la chaleur, et le soleil!
Il fait si beau! Je chante! Je danse!
Car en été, je suis en vacances!

3.28
K.55

Quelle est ta saison préférée?
L'automne, l'hiver, le printemps, l'été? (x 2)

Tu es comment?

J'ai les cheveux **noirs**

I have black hair

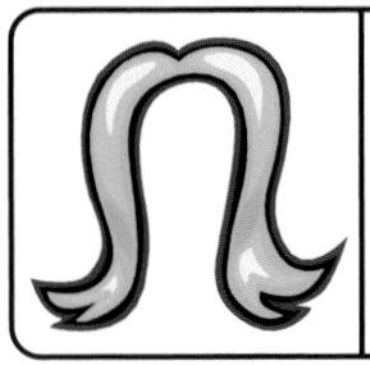

J'ai les cheveux **blonds**

I have blond hair

J'ai les cheveux **roux**

I have red hair

J'ai les cheveux **bruns marron**

I have brown hair

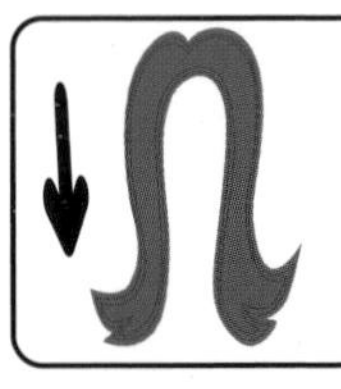

J'ai les cheveux **longs**

I have long hair

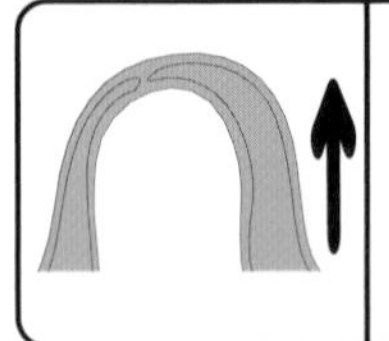

J'ai les cheveux **courts**

I have short hair

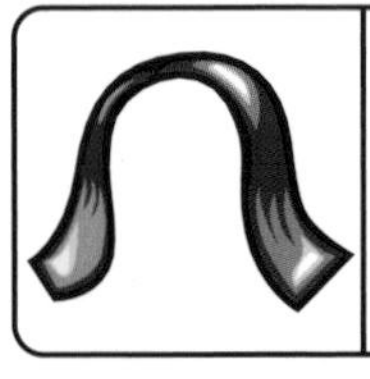

J'ai les cheveux **raides**

I have straight hair

J'ai les cheveux **bouclés**

I have curly hair

J'ai les yeux **bleus**

I have blue eyes

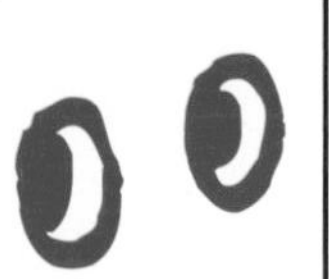

J'ai les yeux **verts**

I have green eyes

J'ai les yeux **noirs**

I have black eyes

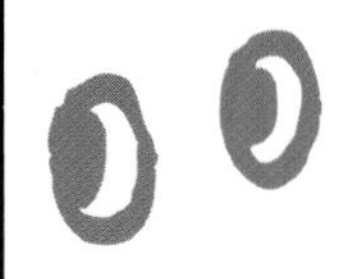

J'ai les yeux **marron**

I have brown eyes

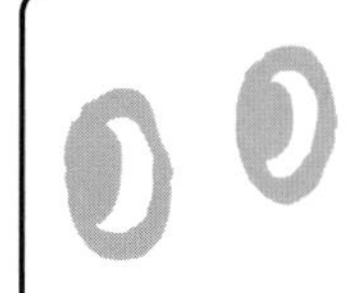

J'ai les yeux **gris**

I have grey eyes

Je suis **grand/grande**

I am big

Je suis **petit/petite**

I am small

Je porte **des lunettes**

I wear glasses

Je suis **sympathique**

I am nice

Je suis **méchant/ méchante**

I am naughty

Je porte des boucles d'oreille

I wear earrings

Je porte **une montre**

I wear a watch

Tu es comment?

Conversation

Tu es comment?

Et toi?....................

Et toi là-bas?.......

2.15

Et toi?.........

J'ai les cheveux noirs, courts et raides.
J'ai les yeux bleus.
Je suis assez grand et je suis sympathique!
Je porte des lunettes!

Chanson

... Tu es comment?

Tu es comment? (clac clac) (x 2)
Tu es comment? Tu es comment? Tu es comment? (clac clac)

J'ai les cheveux noirs! *(clac clac)*
J'ai les cheveux blonds! *(clac clac)*
J'ai les cheveux roux! *(clac clac)*
J'ai les cheveux bruns! *(clac clac)*

J'ai les cheveux longs! *(clac clac)*
J'ai les cheveux courts! *(clac clac)*
J'ai les cheveux raides! *(clac clac)*
J'ai les cheveux bouclés! *(clac clac)*

J'ai les yeux bleus! *(clac clac)*
J'ai les yeux verts! *(clac clac)*
J'ai les yeux noirs! *(clac clac)*
J'ai les yeux marron! *(clac clac)*

Je suis très grand! *(clac clac)*
Je suis petit! *(clac clac)*
Je porte des lunettes! *(clac clac)*
Je suis sympathique *(clac clac)*

Au zoo

un tigre

a tiger

un lion

a lion

un panda

a panda

un requin

a shark

un toucan

a toucan

un singe

a monkey

un kangourou

a kangaroo

un crocodile

a crocodile

un rhinocéros

a rhinoceros

un phoque

a seal

un pingouin

a penguin

un dauphin

a dolphin

un dromadaire
un chameau

a camel

un zèbre

a zebra

un ours/un ours blanc

a bear/a polar bear

un éléphant

an elephant

un pélican

a pelican

un hippopotame

a hippopotamus

une vipère

an adder

une girafe

a giraffe

Au zoo

Conversation

On trouve quels animaux au zoo?
On trouve les tigres et les pandas au zoo!

Ah! De quelles couleurs sont-ils?
Le tigre est orange et noir, et le panda est blanc et noir!

Quel est ton animal préféré au zoo?
Mon animal préféré au zoo c'est l'éléphant.

Pourquoi?
Parce qu'il est grand, et fort, mais très gentil!

Quels sont tes animaux préférés au zoo?
Mes animaux préférés sont les phoques et les singes!

Pourquoi?
Parce qu'ils sont rigolos!

On trouve quels oiseaux au zoo?
On trouve les vautours et les flamants au zoo

2.9

2.11
K.37

Rap

On trouve quels animaux au zoo? (x 3)
On trouve un tigre, et un pingouin,
On trouve un panda, et un dromadaire!
On trouve quels animaux au zoo? (x 3)
On trouve un beau toucan, et un ours blanc!

On trouve des kangourous au zoo?
On trouve des pélicans au zoo?
Attention! L'hippopotame!

On y en trouve PLUSIEURS au zoo!
On trouve un lion et un dauphin!
On trouve un requin et une vipère!
On y en trouve PLUSIEURS au zoo!
On trouve un méchant singe
et un éléphant!
On trouve des crocodiles au zoo?
Oui! On y en trouve! Bien! Bravo!
Le rhinocéros! La girafe!

Chanson ... Le crocodile

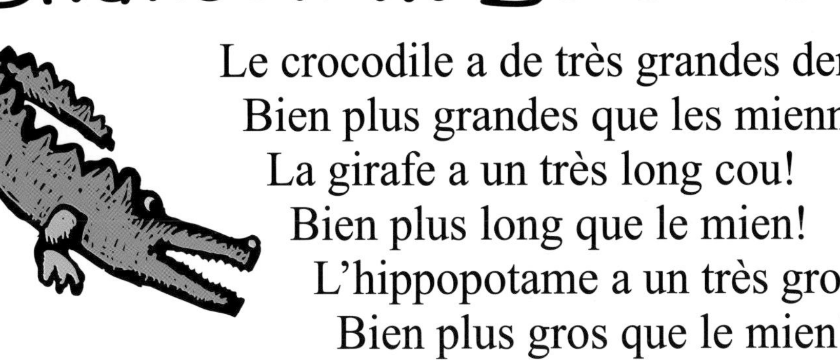

Le crocodile a de très grandes dents!
Bien plus grandes que les miennes!
La girafe a un très long cou!
Bien plus long que le mien!
L'hippopotame a un très gros ventre!
Bien plus gros que le mien!
Le méchant singe a un petit nez!
Bien plus petit que le mien!

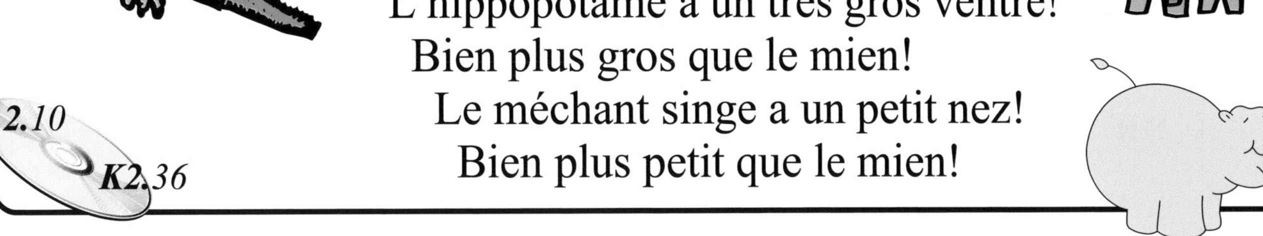

La famille

	**mon père** *my father*		**ma mère** *my mother*
	**mon frère** *my brother*		**ma soeur** *my sister*
	**mon grand-père** *my grandfather*		**ma grand-mère** *my grandmother*
	**mon oncle** *my uncle*		**ma tante** *my aunt*
	**mon cousin** *my cousin (boy)*		**ma cousine** *my cousin (girl)*
	**mon demi-frère** *my step-brother*		**ma demi-soeur** *my step-sister*
	**mon beau-père** *my step-father*		**ma belle-mère** *my step-mother*
	**un beau-fils** *a step-son*		**une belle-fille** *a step-daughter*
	**mon neveu** *my nephew*		**ma nièce** *my niece*
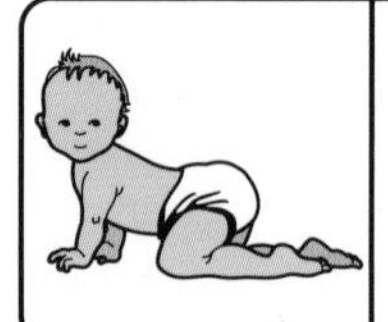	**un bébé** *a baby*		**une jeune fille** *a teenage girl*

Ma famille

Conversation

As-tu des frères ou des soeurs? — Oui, j'ai un frère et une soeur!
Comment s'appelle-t-il, ton frère? — Il s'appelle Jacques!
Quel âge a-t-il? — Il a neuf ans!
Comment s'appelle-t-elle, ta soeur? — Elle s'appelle Lucie!
Quel âge a-t-elle? — Elle a douze ans!

2.K.50 (Karaoke only)

Chanson ... Ma Famille ...

... Ma Famille ...

Mon frère, mon père, et mon grand-père!
Ma soeur, ma mère, et ma grand-mère!
Mon oncle, ma tante, mes cousins!
J'ai un chat, et j'ai un chien!
As-tu des frères ou des soeurs? (x4)

...

Mon frère, mon père, mon grand-père!
Ma soeur, ma mère, et ma grand-mère!
Mon oncle, ma tante, mes cousins!
J'ai un chat, et j'ai un chien!

Salut! As-tu une soeur?
Oui, Madame, j'en ai deux!
As-tu un frère, Bastien?
Oui, mon frère s'appelle Alain!

1.10 K.23

J'ai une nièce et un neveu!
Un demi-frère et une demi-soeur!
As-tu des soeurs, Monique?
Non, je suis enfant unique!

Le corps

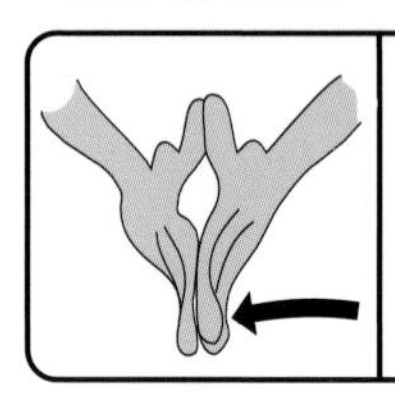

le doigt — *finger*

le menton — *chin*

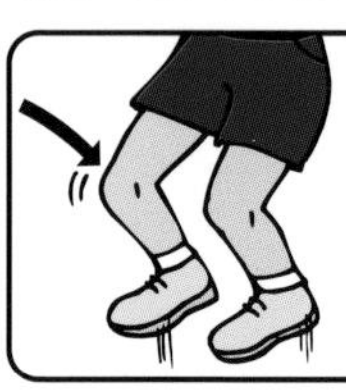

le genou — *knee*

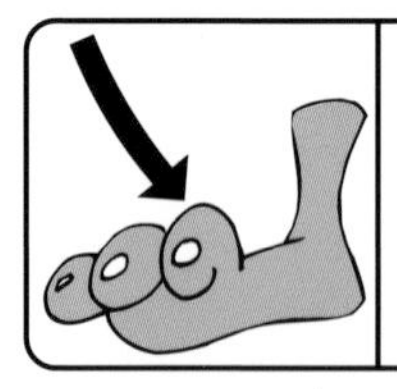

l'orteil — *big toe*

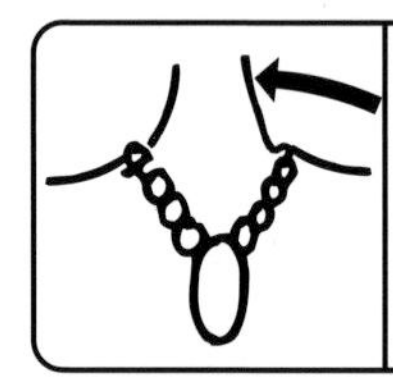

le cou — *neck*

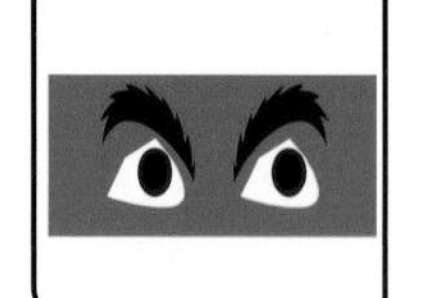

les yeux — *eyes*

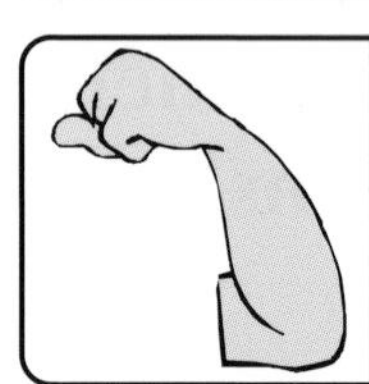

le bras — *arm*

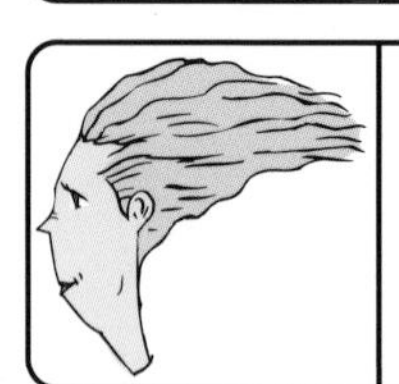

les cheveux — *hair*

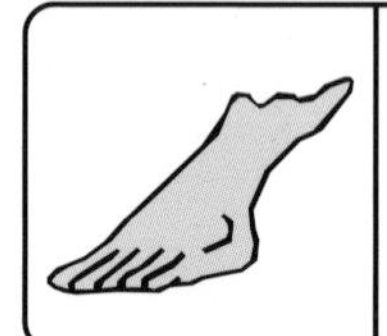

le pied — *foot*

le front — *forehead*

le nez — *nose*

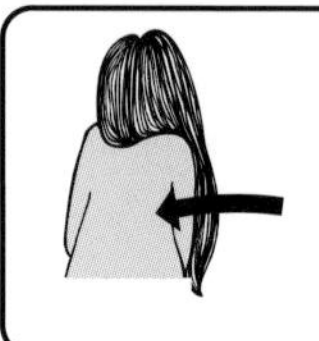

le dos — *back*

le coude — *elbow*

le coeur — *heart*

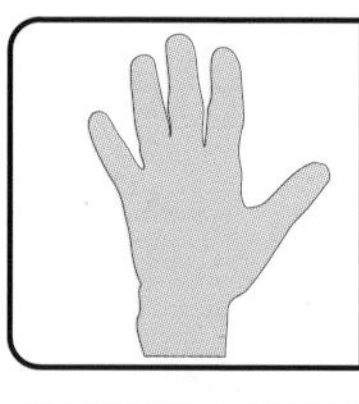

la main — *hand*

la bouche — *mouth*

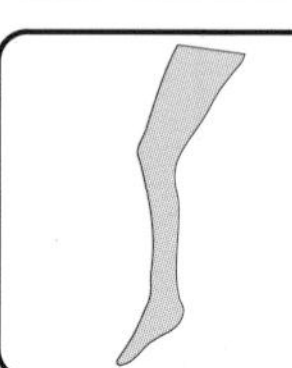

la jambe — *legs*

la tête — *head*

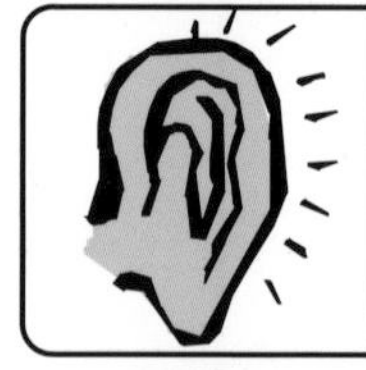

l'oreille — *ear*

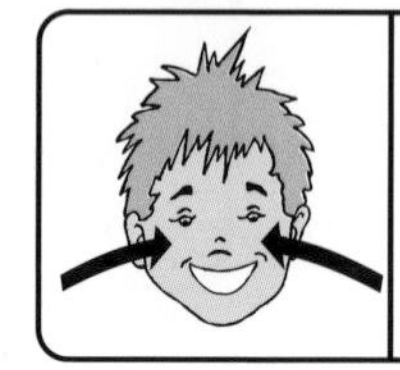

les joues — *cheeks*

Le corps

32

Conversation

Qu'est-ce que c'est?
C'est la tête!
Qu'est-ce que c'est?
C'est le nez!

Devinette!

Mon chien n'a pas de nez!
Comment sent-il?

Mauvais!

Comptine

Touchez la tête comme moi!
Touchez le nez comme moi!
Touchez les bras comme moi!
Touchez les pieds comme moi!
Touchez la tête, le nez, les bras, les pieds!

Chanson

... Jacques a dit!

Jacques a dit: 'touchez la tête!'
Jacques a dit: 'touchez le nez!'
Jacques a dit: 'touchez la bouche,'
Et 'touchez les oreilles!'
Jacques a dit: 'touchez la main!'
Jacques a dit: 'touchez les yeux!'
Jacques a dit: 'touchez les bras comme ça!'
Et 'touchez les cheveux!'

2.8
K.35

Jacques a dit: 'touchez les pieds!'
Jacques a dit: 'touchez le front!'
Jacques a dit: 'touchez les jambes!'
Et 'touchez le menton!'
Jacques a dit: 'touchez le dos!'
Jacques a dit: 'touchez le cou!'
Jacques a dit: 'touchez les doigts, comme ça!'
Et 'touchez les genoux!'

Les maladies

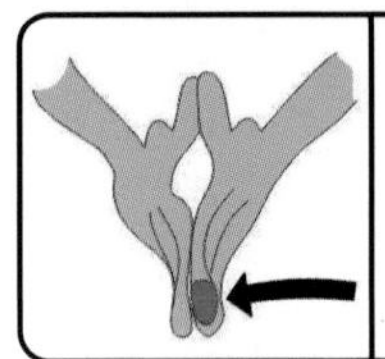

J'ai mal au doigt

I have a sore finger

J'ai mal aux oreilles

I have earache

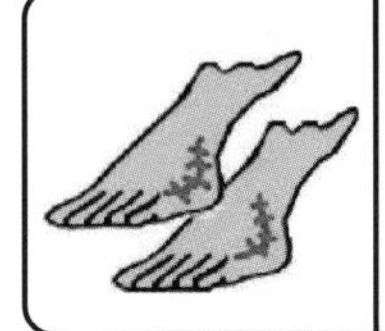

J'ai mal aux pieds

I have sore feet

J'ai mal à la tête

I have a headache

J'ai mal au nez

I have a sore nose

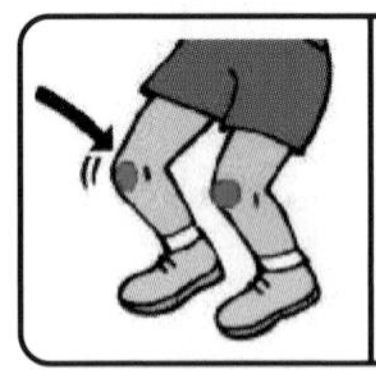

J'ai mal aux genoux

I have sore knees

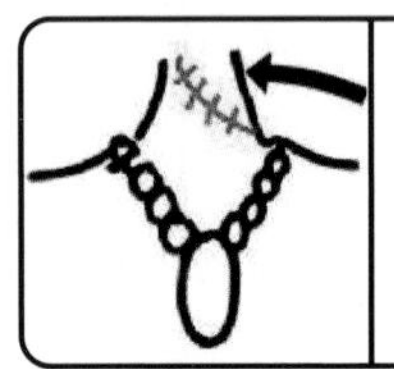

J'ai mal au cou

I have a sore neck

J'ai mal au bras

I have a sore arm

J'ai mal au front

I have a sore forehead

J'ai mal au menton

I have a sore chin

J'ai mal partout

I'm sore everywhere

J'ai mal au coeur

I feel sick

J'ai le mal de mer

I am sea sick

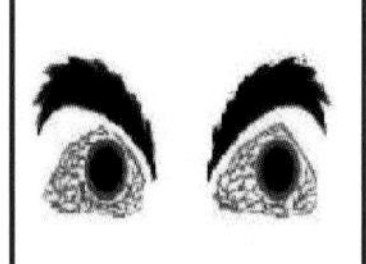

J'ai mal aux yeux

I have sore eyes

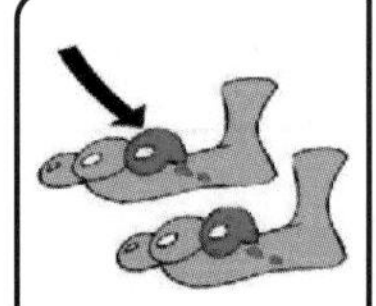

J'ai mal aux orteils

I have sore big toes

J'ai mal aux coudes

I have sore elbows

J'ai mal aux joues

I have sore cheeks

La pharmacie

The chemist shop

Le médecin

The doctor

L'infermière

The nurse

Les maladies

Conversation

Comment ça va?
Pourquoi?
Quel dommage!
Qu'est-ce qu'il faut faire?
Il faut aller à la pharmacie!
Il faut retourner au lit!

Ça ne va pas!
J'ai mal au bras!

Il faut aller chez le médecin!
Il faut aller à l'hôpital!
Oui! Bonne idée!

Rap

Comment ça va? Ça ne va pas!
Pourquoi? … J'ai mal au doigt!

J'ai mal aux pieds!
J'ai mal au nez!
J'ai mal aux genoux!
J'ai mal au cou!
J'ai mal au front!
J'ai mal au menton!
J'ai mal partout!

Comment ça va? Ça ne va pas!
Pourquoi? … J'ai mal au bras

J'ai mal au coeur!
J'ai mal aux yeux
J'ai mal aux oreilles!
J'ai mal aux orteils!
J'ai mal aux coudes!
J'ai mal aux joues!
J'ai mal partout!

Devinette!

Qu'est qui est vert et qui monte et qui descend?

Un marin avec le mal de mer!

Au café

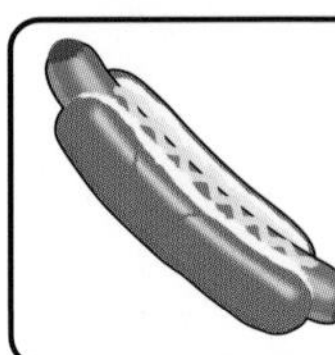

un hot-dog

a hotdog

un sandwich au jambon

a ham baguette

un croque-monsieur

cheese on toast

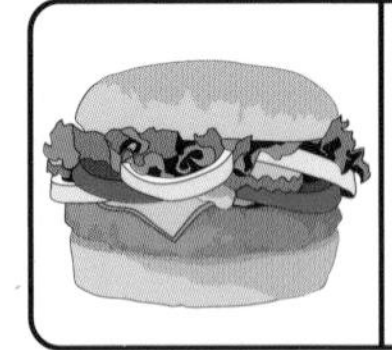

un hamburger

a hamburger

du vin blanc

some white wine

un coca *a coca cola*

'Coca Cola C'est ça!'

"It's the real thing!"

un café

a coffee

un thé

a tea

un garçon de café

a waiter

un orangina

a fizzy orange

"Secouez-moi! Secouez-moi!"

"Shake me! Shake me!"

du lait

some milk

un jus d'orange

an orange juice

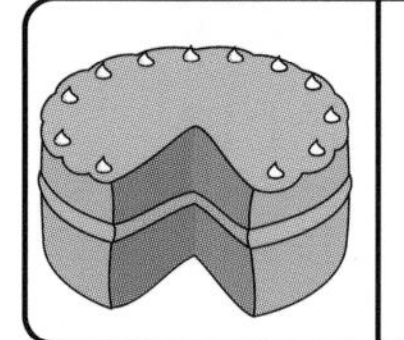

un gâteau

a cake

le sel et le poivre

some salt and pepper

l'addition

the bill

des frites

some chips

une crêpe

a pancake

une limonade

a lemonade

une glace

an ice-cream

une bière

a beer

Le café

Conversation

1.12

Vous désirez, Madame?

Je voudrais une crêpe et un coca, s'il vous plaît!

Voilà, Madame! Bon Appétit!

Merci, Monsieur!

Garçon! L'addition s'il vous plaît!

Chanson
... Vous désirez, Madame?

Vous désirez, Vous désirez, Madame? Vous désirez? (x 2)

Je voudrais un café,
Et un thé au lait,
Une bière pour mon père,
Vin blanc pour ma mère,
Un hamburger, et puis un coca,
Une glace à la fraise pour moi!

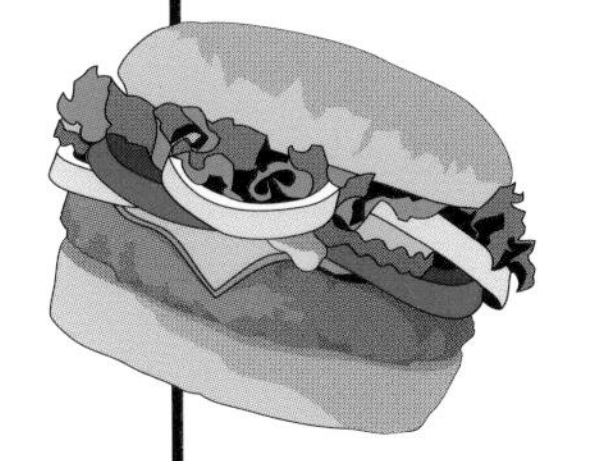

Je voudrais des pommes-frites,
Et une limonade,
Puis un jus d'orange,
Sandwich au jambon,
Voilà, Monsieur, Madame,
Garçon, merci bien,
L'addition ... s'il vous plaît! Ooh là là!

l'addition
8.50
3.40
€11.90

Les sports

le football — *football*

le squash /la pelote — *squash/pelote*

le snowboard — *snowboarding*

le skate — *skateboarding*

le cyclisme/vélo — *cycling*

le tennis — *tennis*

le basket — *basketball*

le ski — *skiing*

le hockey — *hockey*

le hockey sur glace — *ice hockey*

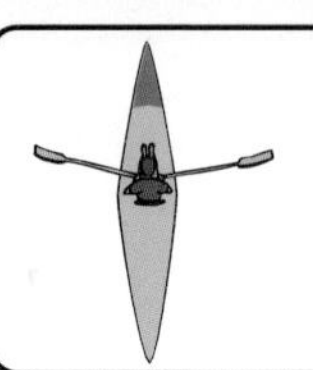
le kayak — *kayaking*
le canoë — *canoeing*

la danse — *dancing*

la course — *running*

la natation — *swimming*

la pêche — *fishing*

la gymnastique — *gymnastics*

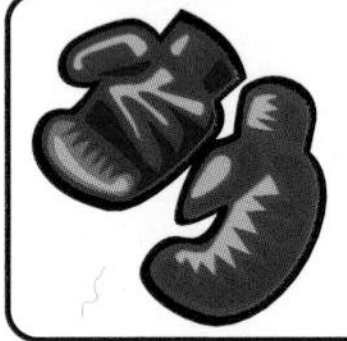
la boxe — *boxing*

la voile — *sailing*

l’équitation — *horse-riding*

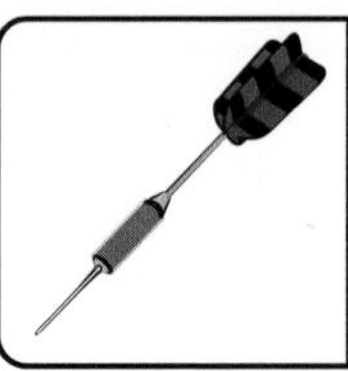
les fléchettes — *darts*

Les sports

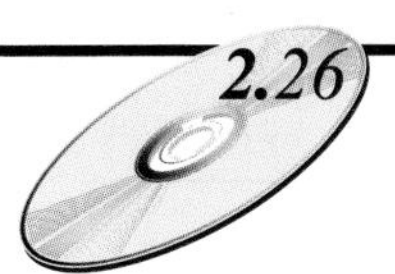

Conversation

Qu'est-ce que tu **aimes** comme sport?
Qu'est-ce que tu **n'aimes pas** comme sport?
Qu'est-ce que tu **détestes** comme sport?

J'aime le football!
Je **n'aime pas** le cricket!
Je **déteste** la pêche!

Quel est ton sport préféré?

Mon sport préféré c'est le volley, et toi?

Moi? Mon sport préféré c'est le skate!

Pourquoi?

Parce que c'est amusant et difficile!

Qu'est-ce que tu n'aimes pas comme sport?

Ce que je n'aime pas c'est le golf!

Mais, pourquoi?

Parce que c'est ennuyeux et c'est moche!

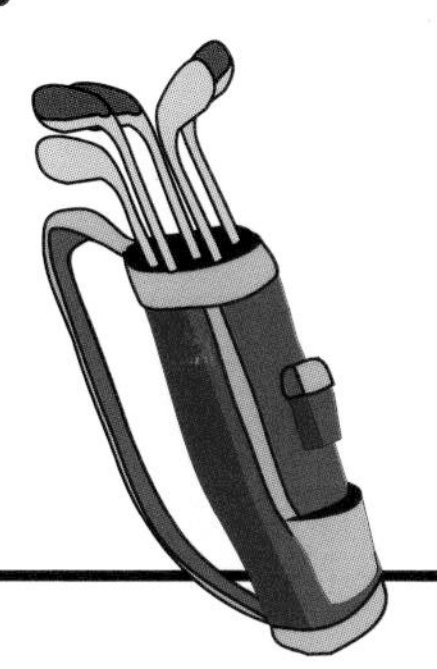

Vocabulaire

facile	*easy*	**amusant**	*fun, funny*	**génial**	*brilliant*	**chouette**	*great*
difficile	*difficult*	**ennuyeux**	*boring*	**moche**	*awful*	**passionnant**	*exciting*

Chanson
... Quel est ton sport préféré?

Quel est ton sport préféré?
Le football, le squash, le skate, le hockey?
Quel est ton sport préféré?
Le golf, les fléchettes, ou le karaté?

Le foot est mon sport préféré!
J'adore Man U, Beckham, et Pelé!
Quel est le sport que tu n'aime pas?
Je n'aime pas le badminton … et toi?

Les sports

	**le rugby** *rugby*	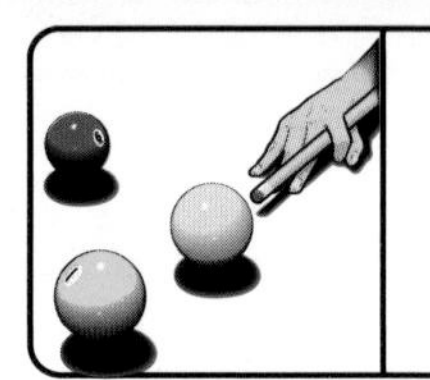	**le snooker/le billard** *snooker/billiards*
	**le golf** *golf*		**le roller** *rollerblading*
	**le ping-pong** *table tennis*		**l'athlétisme** *athletics*
	**le karaté** *karate*		**l'escrime** *fencing*
	**le judo** *judo*		**les boules/la pétanque** *bowling/pétanque*
	**le badminton** *badminton*		**J'adore** *I adore*
	**le netball** *netball*		**J'aime** *I like*
	**le patinage** *ice skating*	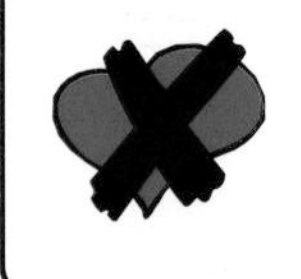	**Je n'aime pas** *I don't like*
	**le catch** *wrestling*		**Je déteste** *I hate*
	**le volley** *volleyball*		**Je préfère** *I prefer*

Chanson

... Qu'est-ce que tu aimes comme sports?

Qu'est-ce que tu aimes comme sports?
J'aime la danse et j'aime la course!
J'aime le squash et le football,
Je déteste le snowboard!

Qu'est-ce que tu aimes, Bruno?
J'aime le skate et le judo!
J'aime le catch et le basket ...
Je n'aime pas la pêche!

Qu'est-ce que tu aimes, Julie?
J'aime le roller et le ski!
J'aime le hockey et le golf,
Je déteste le rugby!

La natation, l'équitation,
le cyclisme, le ping-pong!
Qu'est-ce que tu aimes, Marie?
J'aime rester au lit!

Les passe-temps

le shopping

shopping

le bricolage

D.I.Y./repairs

le cinéma

the cinema

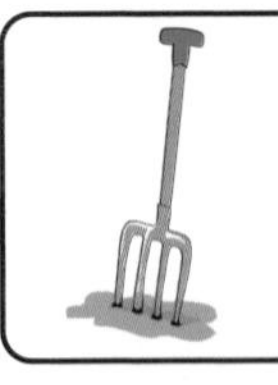

le jardinage

gardening

le camping

camping

le dessin

art/painting

le théâtre

the theatre

l'informatique

computing

les échecs

chess

les jeux vidéo

video games

les jeux de société

board games

la lecture

reading

la photographie

photography

la cuisine

cooking

les cartes

cards

les balades

walks/walking

la télévision

television

la musique (pop/classique)

Music (pop/classical)

Chanson
... Les passe-temps

Qu'est-ce que tu fais comme passe-temps?
J'aime les cartes et la télévision!
J'adore faire des voyages!
Je déteste le jardinage!

Qu'est-ce que tu fais? Dominique?
J'aime écouter de la musique!
J'aime les jeux vidéo!
Le camping est rigolo!
La lecture! Le dessin!
Les balades avec le chien!
J'aime aller au cinéma!
Le shopping, je n'aime pas!

Conversation

Qu'est-ce que tu fais comme passe-temps?
Je joue avec des jeux vidéo.* C'est amusant!
C'est passionnant!
Qu'est-ce que tu adores comme passe-temps?
J'adore aller au cinéma! C'est génial!
C'est chouette!
Qu'est-ce que tu détestes comme passe-temps?
Je déteste jouer aux échecs.
Pourquoi?
Parce que c'est difficile!

***or 'Je joue aux jeux vidéo'**

Les instruments de musique

Je joue du piano

I play the piano

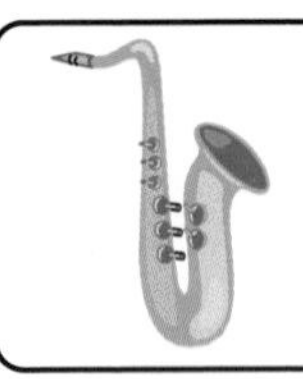

Je joue du saxophone

I play the saxophone

Je joue du hautbois

I play the oboe

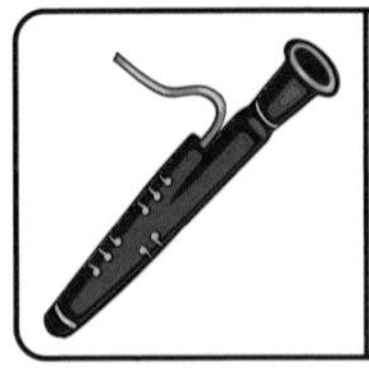

Je joue du basson

I play the bassoon

Je joue du violon

I play the violin

Je joue de l'accordéon

I play the accordion

Je joue du violoncelle

I play the cello

Je joue du bongo

I play the bongo drum

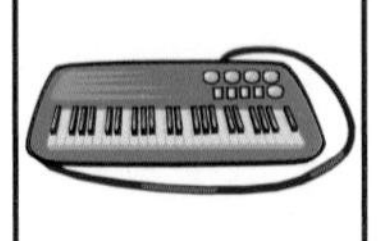

Je joue du clavier

I play the keyboard

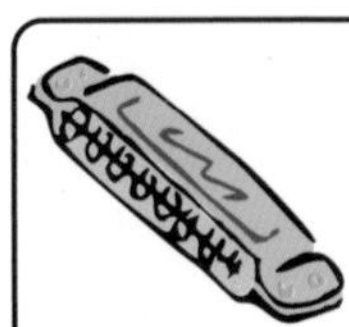

Je joue de l'harmonica

I play the harmonica

Je joue de la flûte

I play the flute

Je joue de la timbale

I play the kettle drum

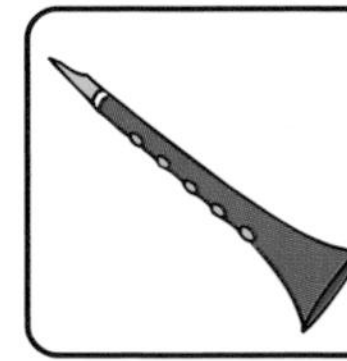

Je joue de la clarinette

I play the clarinet

Je joue de la trompette

I play the trumpet

Je joue de la guitare

I play the guitar

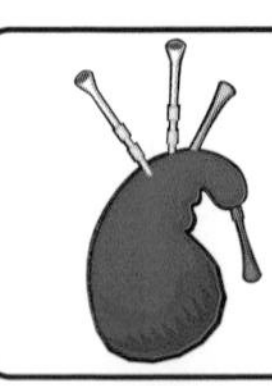

Je joue de la cornemuse

I play the bagpipes

Je joue de la batterie
Je joue du tambour

I play the drums

Je joue de la flûte à bec

I play the recorder

Je joue des cymbales

I play the cymbals

Je joue de la harpe

I play the harp

Les instruments de musique

Conversation

Tu joues d'un instrument? Oui, je joue du piano!

Toi, tu joues d'un instrument? Oui, je joue de la flûte à bec et de la clarinette!

Tu joues d'un instrument? Non, je ne joue pas d'instrument!

3.3

Rap

Tu joues d'un instrument?
Oui je joue du saxophone!
Du piano, du violon!
Je joue de l'accordéon!

Toi, tu en joues, Juliette?
Non, je joue de la trompette,
De la flûte, de la guitare!
Je joue de la clarinette!

La flûte à bec, les cymbales,
Le clavier, les timbales!
Qu'est-ce que tu joues, toi?
Moi, je joue du hautbois!

Le basson, le violoncelle,
La cornemuse est si belle!
Qu'est-ce que tu joues, Marie?
Moi, j'adore la batterie!

3.4

K.45

Les transports

	**le bateau** en bateau	*the boat* *by boat*
	**le vélo** à vélo	*the bicycle* *by bicycle*
	**le bus** en bus	*the bus* *by bus*
	**le train** en train	*the train* *by train*
	**le poney** *en poney *à poney	*the pony* *by pony* *by pony*
	**l'avion** en avion par avion	*the airplane* *by air*
	**le pied** **à pied**	*the feet* *on foot*
	**le patin** en patin	*the skate* *on skates*
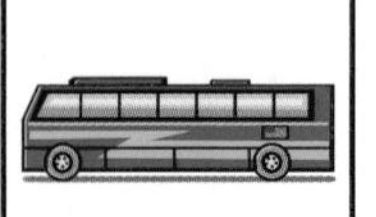	**le car** en car	*the coach* *by coach*
	**le camion** en camion	*the lorry* *by lorry*

	**le tricycle** en tricycle	*the tricycle* *by tricycle*
	**le paquebot** en paquebot	*the liner* *by liner*
	**le métro** *par le métro *en métro	*the tube* *on the tube* *by tube*
	**le ballon** en ballon	*the hot air balloon* *by hot air balloon*
	**la voiture** en voiture	*the car* *by car*
	**la mobylette** en mobylette	*the moped* *by moped*
	**la fusée** en fusée	*the rocket* *by rocket*
	**la motocyclette** en motocyclette	*the motorcycle* *by motorcycle*
	**la bicyclette** en bicyclette	*the bicycle* *by bicycle*
	**la soucoupe volante** en soucoupe volante	*the flying saucer* *by flying saucer*

** In everyday French both versions may be used.*

Conversation

Comment vas-tu à l'école?
Je vais à l'école en voiture!
Comment vas-tu à l'école?
Je vais à l'école en bus,
mais quelquefois je vais à pied
Tu vas à l'école en train!
De temps en temps!
Tu vas à l'école en soucoupe volante?
En soucoupe volante? Jamais!

Chanson
… Les transports

Bateau, vélo, bus ou train!
Poney, avion, pied, patin … Voiture!
Comment vas-tu à l'école!

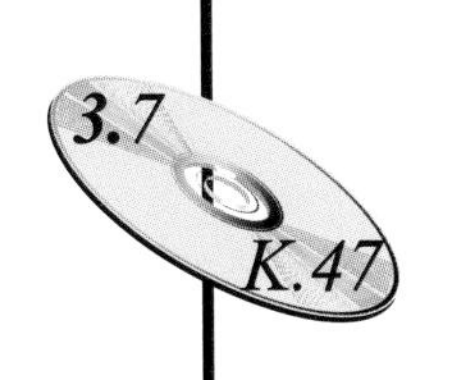

Toi? Comment vas-tu?
Comment vas-tu à l'école?

Chanson
… Comment vas-tu à l'école

Comment vas-tu … Comment vas-tu à l'école (x 2) **(en tricycle?)**

J'y vais par le métro et puis en paquebot,
puis en camion, en soucoupe volante!
A pied, en patin!
En voiture, en train!
Enfin! J'arrive à l'école!

3.6
K.46

Comment vas-tu … Comment vas-tu à l'école (x 2) **(en avion?)**

J'y vais en bicyclette puis en mobylette,
J'y vais en ballon, en motocyclette!
En bus, en poney!
Puis c'est en fusée!
Enfin! J'arrive à l'école! **(Fatigué!) (Fatiguée!)**

Il est une heure

It is one o'clock

Il est huit heures

It is eight o'clock

Il est seize heures

It is four o'clock

Il est midi

It is midday

Il est minuit

It is midnight

Bonjour! *Good Morning!*

Bonne nuit! *Good Night!*

Bonsoir! *Good Afternoon!/Good Evening!*

Huit heures et demie

*half **past** eight*

Huit heures et quart

*quarter **past** eight*

Huit heures moins vingt-cinq

*twenty-five **to** eight*

Huit heures moins le quart

*quarter **to** eight*

Huit heures dix

*ten **past** eight*

Huit heures vingt

*twenty **past** eight*

Conversation

Quelle heure est-il, s'il vous plaît?	Il est dix heures.
A quelle heure quittes-tu la maison?	Je quitte la maison à huit heures.
A quelle heure déjeunes-tu?	Je déjeune à midi!
A quelle heure rentres-tu à la maison?	Je rentre à la maison à seize heures!
A quelle heure dînes-tu?	Je dîne à dix-huit heures!
A quelle heure vas-tu au lit?	Je vais au lit à neuf heures! Bonne nuit!

Chanson ... L'heure

1.6 K19

Bonjour, quelle heure est-il? (x 2) (tic tac)
Il est huit heures, il est huit heures!
Bonjour, quelle heure est-il (tic tac x 7)

Bonjour, quelle heure est-il? (x 2) (tic tac)
Il est midi, il est midi!
Bonjour, quelle heure est-il? (tic tac x 7)

Bonsoir, quelle heure est-il (x 2) (tic tac)
Il est seize heures, il est seize heures!
Bonsoir, quelle heure est-il? (tic tac x 7)

Bonne nuit, quelle heure est-il? (x 2) (tic tac)
Bonne nuit, quelle heure est-il? (tic tac x 7)
Il est minuit, il est minuit!
Bonne nuit, quelle heure est-il? (tic tac x 7)

Huit heures et demie, et huit heures et quart!
Huit heures moins vingt-cinq et moins le quart!
Huit heures dix et huit heures vingt!
Bonjour, quelle heure est-il? *(tic tac x 7)*

Ma journée

	**Je me réveille** *I wake up*		**Je m'habille** *I get dressed*
	**Je me lève** *I get up*		**Je me couche** *I go to bed*
	**Je me lave** *I wash*		**Je me repose** *I relax*
	**Je me douche** *I shower*		**Je me dépêche** *I hurry*

Les repas

	**le petit-déjeuner** *breakfast*		**le goûter** *snack/tea*
	**le déjeuner** *lunch*		**le dîner** *supper*

Les verbes

prendre	*to take*	**rentrer**	*to go back home*
aller	*to go*	**boire**	*to drink*
manger	*to eat*	**jouer**	*to play*
quitter	*to leave*	**travailler**	*to work*

se réveiller	*to wake up*	**se doucher**	*to showe*
se lever	*to get up*	**se dépêcher**	*to hurry*
se laver	*to wash*	**se coucher**	*to go to be*
s'habiller	*to get dressed*	**se reposer**	*to res*

Conversation

Qu'est-ce que tu fais le matin?

Je me réveille. Je me lève.
Je me lave et je me douche!
Je m'habille puis je me dépêche!

'Ma Journée'

Je me réveille à sept heures
(x 2) (tic tac)
Je me lève et **je me lave**
Je me réveille à sept heures! (tic tac x 7)
A sept heures et quart
je me douche (x 2) (tic tac)
A sept heures vingt,
je m'habille …
Je prends le petit déjeuner (tic tac x 7)
Je quitte la maison trop tard!
Je vais au collège à pied!
Je me dépêche, j'arrive
à l'heure!
A midi c'est le déjeuner! (tic tac x 7)
Je rentre chez moi à
seize heures! (x 2) (tic tac)
Je prends le goûter,
je prends le dîner,
Après **je me couche** à
neuf heures (tic tac x 7)

Je me réveille. Je me lève.
Je me lave. Je me douche!
Je m'habille et je me dépêche!
Après je me couche à neuf heures! (tic tac x 7)

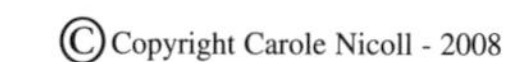

Chez moi

un vestibule

a vestibule

un abri (de jardin)

a garden shed

un jardin

a garden

un salon

a lounge

un bureau

a study

un séjour

a sitting room

un garage

a garage

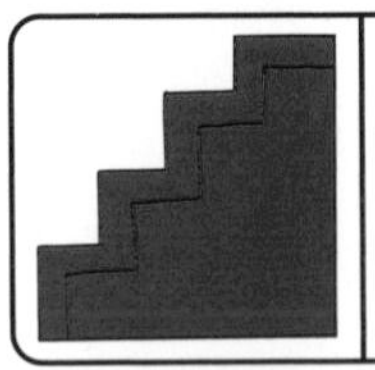

un escalier

stairs

un grenier

a loft

un wigwam!
un tipi!

a wigwam!

un appartement

a flat

une maison à la campagne

a country cottage

les toilettes

the toilets

une maison

a house

une chambre

a bedroom

une salle de bains

a bathroom

une cuisine

a kitchen

une salle à manger

a dining room

une maison jumelée

a semi-detached house

une cave

a cellar

Chanson ... Ma Maison

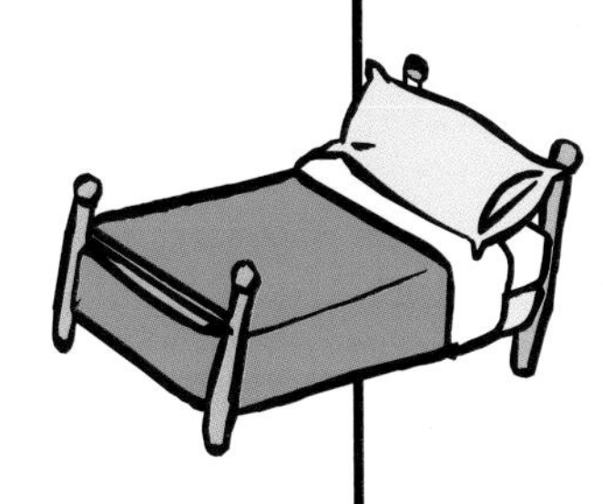

Elle est comment …
Ta maison?
Qu'est-ce qu'il y a dans ta maison?
Dans ma maison il y a un bureau,
un vestibule et un salon!
Dans ma maison,
Il y a trois chambres,
Une cuisine, une salle à manger!
Une salle de bains, et un escalier!
Un garage et un grenier!

Conversation

Elle est comment ta maison?

Elle est assez grande.

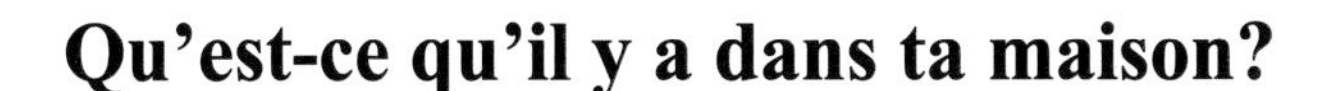

Qu'est-ce qu'il y a dans ta maison?

Dans ma maison il y a trois chambres,
une salle de bains et un salon.

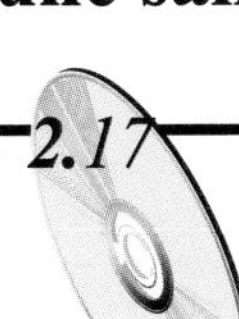

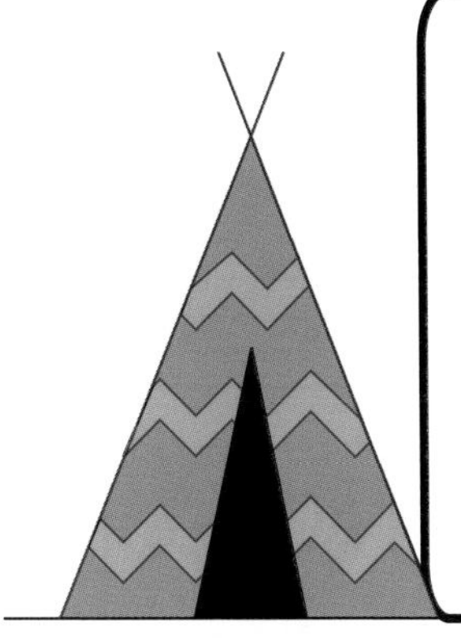

Conversation

Tu habites une maison?
Non, j'habite un appartement!
Tu habites un tipi?
Non, j'habite une maison jumelée!

Ma chambre

un lit — *a bed*

un fauteuil — *an armchair*

un tapis — *a rug*

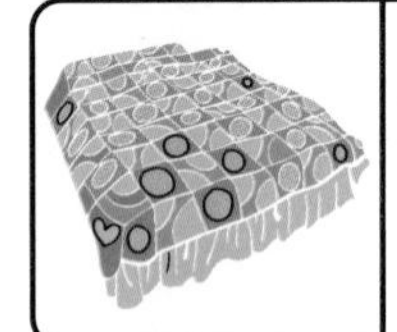

un édredon — *a duvet/eiderdown*

un lavabo — *a wash basin*

un bureau — *a desk*

un oreiller — *a pillow*

un frigo — *a fridge*

un tiroir — *a drawer*

un canapé — *a sofa*

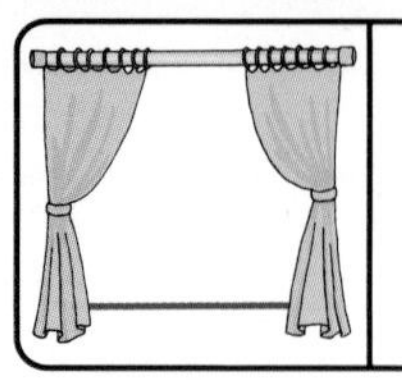

des rideaux — *some curtains*

une armoire — *a wardrobe*

une télévision — *a television*

une grosse peluche — *a big fat soft toy*

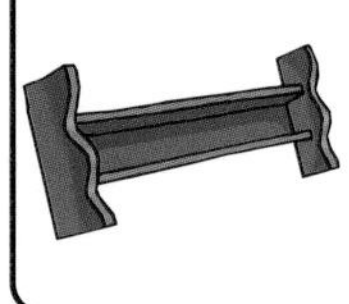

une étagère — *a bookshelf*

une douche — *a shower*

une chaise — *a chair*

une lampe — *a lamp*

une commode — *a chest of drawers*

une chaîne hi-fi — *a hi-fi*

Ma chambre

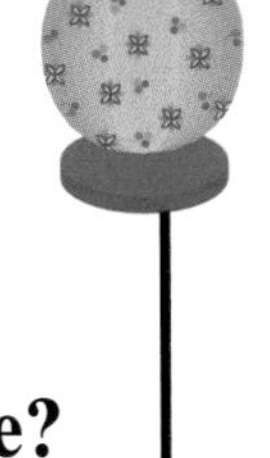

Conversation

Elle est comment ta chambre?

Elle est assez petite.

Qu'est-ce qu'il y a dans ta chambre?

Dans ma chambre, il y a une étagère, un grand lit, et une télévision!

3.25

Une télé! Quelle chance!

Chanson
... Ma chambre

Dans ma belle chambre,
J'ai une hi-fi!
Une armoire et un tapis!
Une chaise et un frigo!
Une lampe et un grand lit!
Un canapé! (un canapé!)
Une étagère! (une étagère!)
Un lavabo et une douche!
Un fauteuil, une télé,
Et, voici, ma grosse peluche!

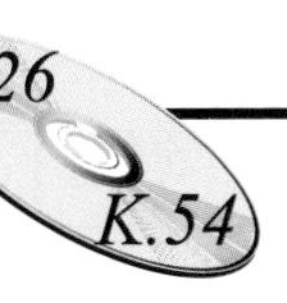

Les matières scolaires

le théâtre — *drama*

l'anglais — *english*

le français — *french*

l'allemand — *german*

l'espagnol — *spanish*

l'italien — *italian*

le latin — *latin*

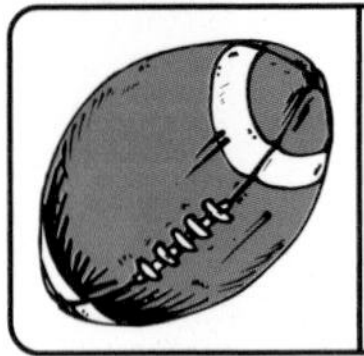

le sport — *sports*

le dessin — *art*

les langues — *languages*

les sciences
la science — *science*

la chimie — *chemistry*

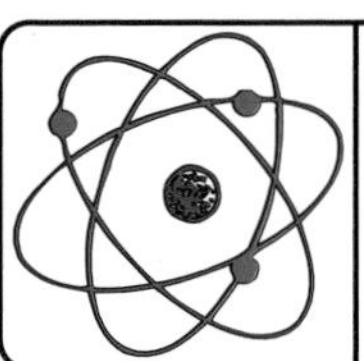

la physique — *physics*

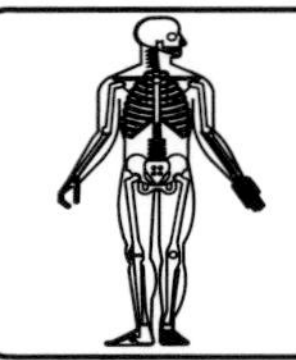

la biologie
la bio — *biology*

l'histoire — *history*

la géographie
la géo — *geography*

la civilisation — *modern studies*

l'informatique — *computer studies*

les maths — *maths*

la musique — *music*

Chanson

… Quelle est ta matière préférée?

Quelle est ta matière préférée?
L'histoire, les maths, l'allemand, l'anglais?

Quelle est ta matière préférée?
L'informatique, dessin ou français?

Le sport est ma matière préférée!
J'aime les sciences, la biologie!
J'aime la chimie et la physique,
J'aime le théâtre et la musique!

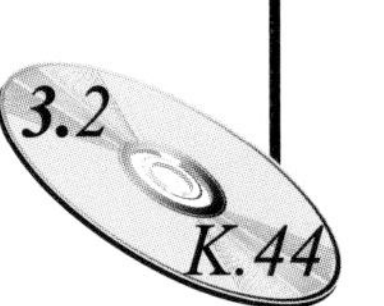

Conversation

Quelle est ta matière préférée?
C'est l'informatique!
Pourquoi?
Parce que c'est intéressant et facile!
Quelle est la matière que tu détestes?
C'est la biologie!
Pourquoi?
Parce que c'est ennuyeux et moche!

3.1

L'éducation civique

- Social Education

L'EMR (l'éducation morale et religieuse)

- RME (Religious and Moral Education)

À la ferme

	un bouc une chèvre	*a billy goat* *a goat*
	un mouton une brebis	*a sheep* *a ewe*
	un caneton un canard	*a duckling* *a duck*
	un oison une oie	*a gosling* *a goose*
	un agneau	*a lamb*
	un taureau	*a bull*
	un poussin	*a chick*
	un dindon	*a turkey*
	un âne	*a donkey*
	un pigeon	*a pigeon*
	un veau	*a calf*
	un coq	*a cockerel*
	un cochon	*a pig*
	un boeuf	*an ox*
	un bélier	*a ram*
	un poulain	*a foal*
	une colombe	*a dove*
	une hirondelle	*a swallow*
	une poule	*a chicken*
	une vache	*a cow*

À la ferme

Conversation

On trouve quels animaux à la ferme?

On trouve les vaches, les moutons et les cochons, à la ferme!

Quel est ton animal préféré à la ferme?

Mon animal préféré à la ferme, c'est le petit agneau?

Pourquoi?

Parce qu'il est mignon!

Rap

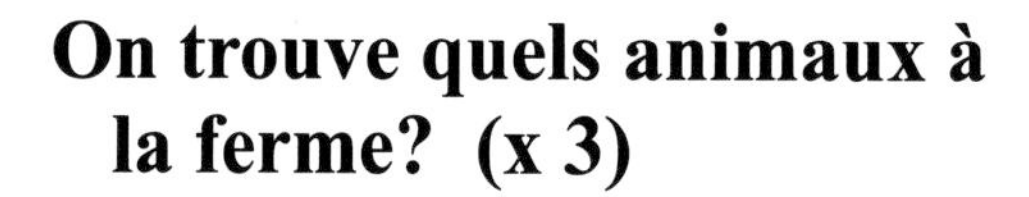

On trouve quels animaux à la ferme? (x 3)

On trouve une chèvre, et un mouton.

On trouve une poule, et un agneau.

On trouve quels animaux à la ferme? (x 3)

On trouve des poussins, et un dindon.

Voici un petit veau qui mange une fleur!

Voici le joli coq rouge et bleu!

On y en trouve PLUSIEURS à la ferme!

On trouve un canard et un oison! … (Mignon!)

On trouve une vache et un taureau! (Très beau!)

On y en trouve PLUSIEURS à la ferme!

On trouve un âne têtu, et des pigeons!

Voici un caneton qui a peur! (Dommage!)

Oh Non! C'est le cochon! Quelle odeur!

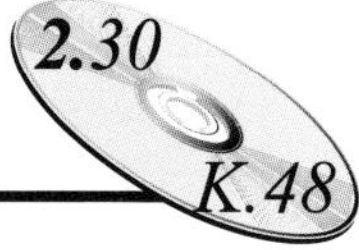

Dans la forêt

	**un renard**	*a fox*
	**un blaireau**	*a badger*
	**un écureuil**	*a squirrel*
	**un escargot**	*a snail*
	**un hibou**	*an owl*
	**un faon**	*a fawn*
	**un loir**	*a dormouse*
	**un hérisson**	*a hedgehog*
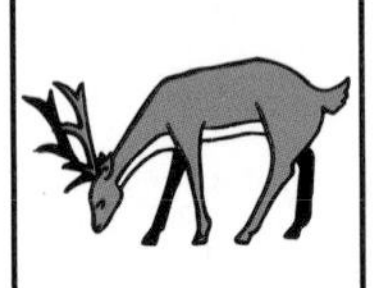	**un cerf**	*a deer*
	**un coucou**	*a cuckoo*
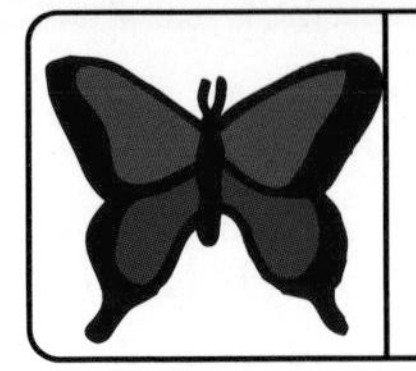	**un papillon**	*a butterfly*
	**un crapaud**	*a toad*
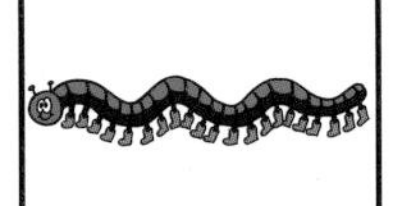	**une chenille**	*a caterpillar*
	**une fourmi**	*an ant*
	**une abeille**	*a bee*
	**une guêpe**	*a wasp*
	**une araignée**	*a spider*
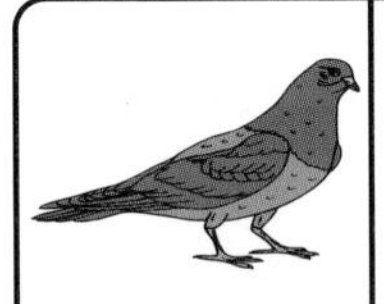	**une alouette**	*a lark*
	**une taupe**	*a mole*
	**une coccinelle**	*a ladybird*

Dans la forêt

Conversation

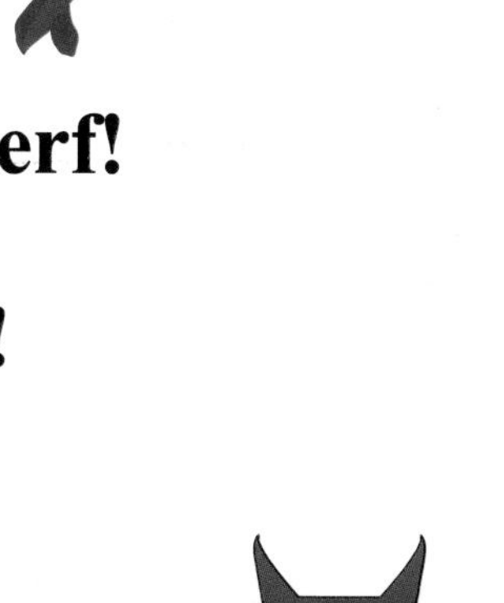

On trouve quels animaux dans la forêt?
On trouve les renards et les taupes et quelquefois les blaireaux dans la forêt!
Quel est ton animal préféré dans la forêt?
Mon animal préféré dans la forêt c'est le cerf!
Pourquoi?
Parce qu'il est grand, beau, et majestueux!
On trouve quels oiseaux dans la forêt?
On trouve, les hiboux, les coucous, les hirondelles, les alouettes et quelquefois les aigles dans la forêt!
Quel est ton oiseau préféré dans la forêt?
Mon oiseau préféré dans la forêt c'est le hibou!
Pourquoi?
Parce qu'il est très sage!
Quel est ton insecte préféré?
Aucun! Je déteste les insectes!

3.16

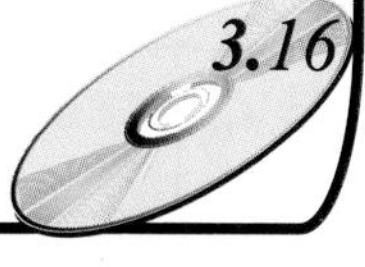

Rap

Qu'est-ce qu'on trouve dans la forêt? (x 3)
On trouve le renard, et le blaireau.
On trouve la taupe, et le joli faon
… (Chouette!)
Qu'est-ce qu'on trouve dans la forêt? (x 3)
On trouve le cerf, et le coucou.
Voici les fourmis deux par deux!
Voici la guêpe! Oh, que j'ai peur!

On trouve tout dans la forêt!

On trouve l'écureuil et l'escargot!
… (Berk!)
On trouve le loir et le hérisson
On trouve tout dans la forêt!

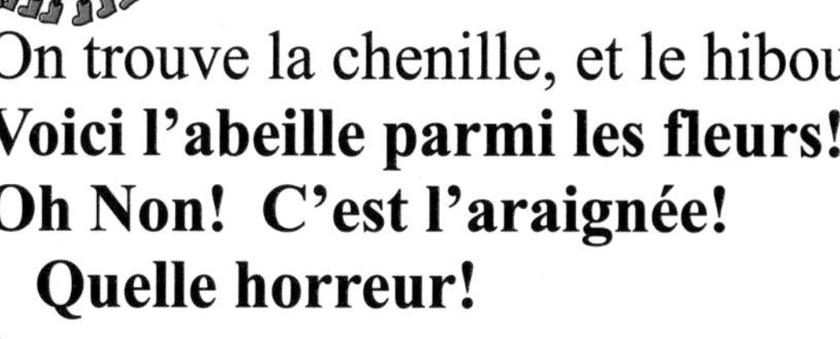

On trouve la chenille, et le hibou
Voici l'abeille parmi les fleurs!
Oh Non! C'est l'araignée! Quelle horreur!

3.17 K.51

Les nombres 1-60

1	un	6	six	11	onze	16	seize
2	deux	7	sept	12	douze	17	dix-sept
3	trois	8	huit	13	treize	18	dix-huit
4	quatre	9	neuf	14	quatorze	19	dix-neuf
5	cinq	10	*dix*	15	quinze	20	*vingt*

Nombres 20-60

21	vingt *et* un	22	vingt-deux	23	vingt-trois	24	vingt-quatre
25	vingt-cinq	26	vingt-six	27	vingt-sept	28	vingt-huit
29	vingt-neuf	30	*trente*				
31	trente *et* un	32	trente-deux	33	trente-trois	34	trente-quatre
35	trente-cinq	36	trente-six	37	trente-sept	38	trente-huit
39	trente-neuf	40	*quarante*				
41	quarante *et* un	42	quarante-deux	43	quarante-trois	44	quarante-quatre
45	quarante-cinq	46	quarante-six	47	quarante-sept	48	quarante-huit
49	quarante-neuf	50	*cinquante*				
51	cinquante *et* un	52	cinquante-deux	53	cinquante-trois	54	cinquante-quatre
55	cinquante-cinq	56	cinquante-six	57	cinquante-sept	58	cinquante-huit
59	cinquante-neuf	60	*soixante*				

Les nombres 1-20

Conversation

Salut! Quel âge as-tu?
J'ai dix ans … et toi?
J'ai onze ans!
Quel âge a-t-il?
Il a neuf ans!
Quel âge a-t-elle?
Elle a deux ans!

Oh! Elle est mignonne! N'est-ce pas?
Oui! A demain!

Rap

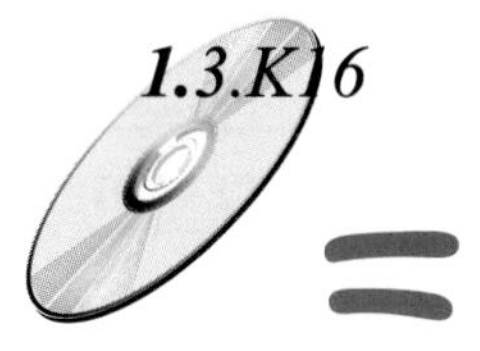

Un, deux, trois. Quatre, cinq, six!
Sept, huit, neuf et dix!
Onze, douze, treize, quatorze, quinze!
Seize, dix-sept, dix-huit, dix-neuf, vingt!

Quel âge as-tu? … J'ai neuf/dix/onze ans! (x 3)
Quel âge a-t-il? … Il a neuf/dix/onze ans! (x 3)
Quel âge a-t-elle? … Elle a neuf/dix/onze ans! (x 3)

Quel âge as-tu, Eric?

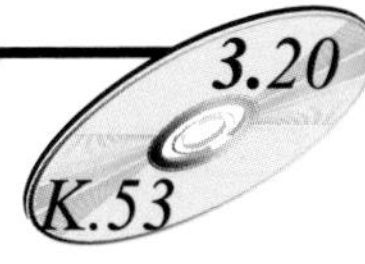

Rap

Un plus cinq font six.
Un plus neuf font dix.
Sept moins un font six.
Onze moins un font dix.
Deux fois dix font vingt
Cinq fois quatre font vingt!
Six divisé par deux font trois!
Zut! Alors! C'est trop pour moi!

Comptine — Le Calcul!

1 + 5 = 6
1 + 9 = 10
7 - 1 = 6
11 - 1 = 10
2 x 10 = 20
5 x 4 = 20
6 ÷ 2 = 3

Zut! Alors! C'est trop pour moi!

Les nombres 61-100+

61	soixante *et* un	62	soixante-deux	63	soixante-trois	64	soixante-quatre
65	soixante-cinq	66	soixante-six	67	soixante-sept	68	soixante-huit
69	soixante-neuf	70	***soixante-dix***				
71	soixante-et onze	72	soixante-douze	73	soixante-treize	74	soixante-quatorze
75	soixante-quinze	76	soixante-seize	77	soixante-dix-sept	78	soixante-dix-huit
79	soixante-dix-neuf	80	***quatre-vingts***				
81	quatre-vingt-un	82	quatre-vingt-deux	83	quatre-vingt-trois	84	quatre-vingt-quatre
85	quatre-vingt-cinq	86	quatre-vingt-six	87	quatre-vingt-sept	88	quatre-vingt-huit
89	quatre-vingt-neuf	90	***quatre-vingt-dix***				
91	quatre-vingt-onze	92	quatre-vingt-douze	93	quatre-vingt-treize	94	quatre-vingt-quatorze
95	quatre-vingt-quinze	96	quatre-vingt-seize	97	quatre-vingt-dix-sept	98	quatre-vingt-dix-huit
99	quatre-vingt-dix-neuf	100	***cent***				
1000	***mille***						
200	deux cents	203	deux cent trois	210	deux cent dix		
10,000	dix mille	100,000	cent mille	1,000,000	un million		

Conversations

Eh! Arnaud! Quel est ton numéro de téléphone?
Moi? C'est le 70 61 73 71! Et toi Guéric?
Moi? C'est le 70 76 81 91!
Et vous Thomas et Paul?
Nous? C'est le 70 99 53 41!
(Gueric) C'est pour moi!
(Arnaud) Non! C'est pour moi!
(Thomas et Paul) Mais Non! C'est pour nous!

1.4

3.22

Qu'est-ce que c'est? C'est trente!
Qu'est-ce que c'est? C'est soixante!
Qu'est-ce que ça fait, un plus cinq? Un plus cinq font six!
Qu'est-ce que ça fait, dix moins un? Dix moins un font neuf!

+ plus	- moins	x fois	÷ divisé par	= font

Chanson

Dix. Vingt. Dix. Vingt. Trente 1.4 K17
Vingt. Trente. Quarante!
Quarante! Cinquante ... et puis Soixante!

Soixante. Soixante-dix!
Soixante-dix. Quatre-vingts!
Quatre-vingts. Quatre-vingt-dix,
et puis c'est CENT!
Soixante et un, soixante-treize!
Soixante et onze, soixante-seize!
Quatre-vingt-un, quatre-vingt-onze!
Quatre-vingt-dix-neuf puis CENT!

Devinette!
Qu'est-ce qui a huit jambes, deux roues, et qui va très vite?

Une araignée en moto?

3.23

La grammaire

Dear Parent or Teacher....
The next sixteen pages explain some basic grammar points. Knowledge of these will provide your child or pupils with the basic building blocks necessary to form sentences and thus progress further! Your guidance through this section will be of benefit to your child/pupils. Songs, raps and poems which enforce these grammar points can be found on pages 81-85 and on the Français! Français! CD Soundtrack 3, tracks 30-43.

How to say 'the' in French 65

There are four words in French that mean **the.**

These are **le** **la** **l'** and **les.**
To start with let's look at **le** and **la.**

In French, things (as well as people) are either **masculine** or **feminine**.

The word in front usually shows if a thing is **masculine** or **feminine.**

Le shows that something is **masculine.**
La shows that something is **feminine.**

When you learn a new word it is important to learn it with the **'le'** or the **'la'** in front of it.

Le is used before all **masculine** nouns.
La is used before all **feminine** nouns.

Here are some masculine words you may already know.

le garçon	**the** boy
le stylo	**the** pen

le cahier	**the** jotter
le livre	**the** book

Here are some feminine words you may already know.

la fille	**the** girl
la gomme	**the** eraser

la trousse	**the** pencil case
la règle	**the** ruler

'L' is used before all singular nouns that begin with a **vowel** or a **silent 'h'**. Here are some vowel or 'h' words that you may already know.

l'agenda	**the** diary	**l'a**nimal	**the** animal
l'île	**the** island	**l'o**range	**the** orange
l'hôpital	**the** hospital	**l'h**ippopotame	**the** hippopotamus

How to make words plural in French

The fourth word in French that means **the** is **les.**

Les is used before a **plural** noun.
(Plural means more than one).

In English we often put an **'s'** on the end of the word to make it plural.

E.g. The boy. The boy**s**.
The girl. The girl**s**.
The pen. The pen**s**.

les garçons

In French too, an **'s'** is often put on the end of the word to make it plural.

E.g. Le garçon. **Les** garçon**s**.
La fille. **Les** fille**s**.
Le stylo. **Les** stylo**s**.

les filles

The difference in French is that you must remember to use **Les** for **the** before a plural noun.

les stylos

Now try the RAP page 81

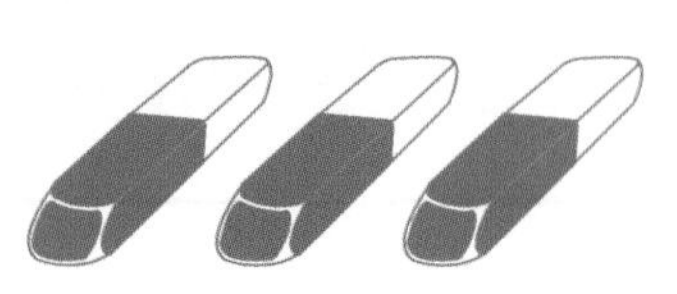
les gommes

As we have seen already in French, an **S** is often put on the end of the word to make it plural.
e.g. Les garçon**s**. Les fille**s**. Les stylo**s**.
Les gomme**s**. Les trousse**s**. Les règle**s**.
However, in French, there are often exceptions to the rule!

Irregular Plurals.

- **If the French noun already ends in an s then there is no need to add another one!**
  e.g. La souris. **Les souris.** Le mois. **Les mois.**
  Le dos. **Les dos** *(the backs)*.

les souris

- **If the French noun already ends in an x or z these also stay the same.**
  e.g. Le nez. **Les nez.**
  La voix. **Les voix** *(the voices)*

les nez

- **Some other plural French nouns also end in x:**
  e.g. les chapeaux
  les animaux
  les jeux
  les genoux
  les hiboux

les chapeaux

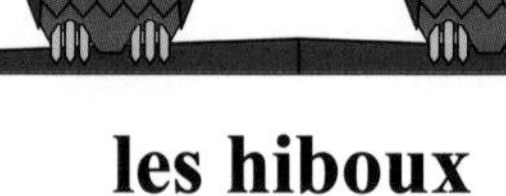
les hiboux

- **Other common irregular plurals are:**
  Monsieur. **Messieurs.** Madame. **Mesdames.**
  Mademoiselle. **Mesdemoiselles.**
  L'oeil. **Les** yeux *(eye, eyes)*.

Messieurs

- **Here are the plurals of some nouns that have two words:**
  Le taille-crayon. **Les** taille-crayons.
  Le rouge-gorge. **Les** rouge-gorges (robins).
  La grand-mère. **Les** grand-mères.

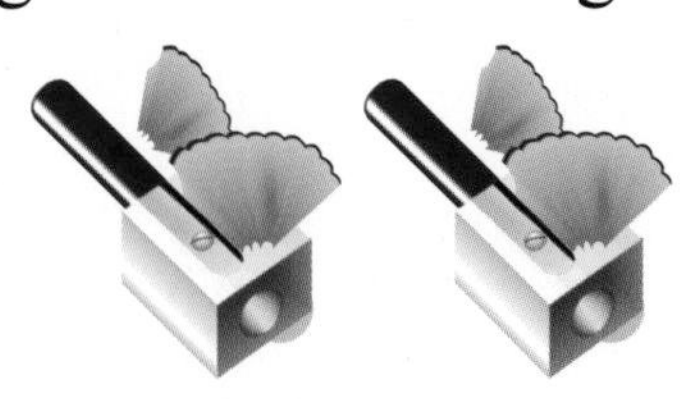
les taille-crayons

Now try the POEM page 81

We have already seen that in French things (as well as people) are either **masculine** or **feminine**.

We have already seen that when we want to say **the** in French we use **le** for masculine people or things (e.g. Le garçon. Le stylo) and **la** for feminine people or things (e.g. La fille. La gomme).

In the same way, there are two words in French for **a** (or **an**).

These are Un and Une.

Un for **masculine** people or things, e.g. **Un** garçon *(a boy)* **un** stylo *(a pen)*.
Une for **feminine** people or things, e.g. **Une** fille *(a girl)* **une** gomme *(an eraser)*.

Here are some **masculine** words you may already know.
Un agenda *(a diary)*. **Un** taille-crayon *(a pencil sharpener)*.
Un sac à dos *(a rucksack)*. **Un** livre *(a book)*.
Un ordinateur *(a computer)*. **Un** chien *(a dog)*.

un livre

Here are some **feminine** words you may already know.
Une trousse *(a pencil case)*. **Une** règle *(a ruler)*.
Une calculatrice *(a calculator)*. **Une** fenêtre *(a window)*.
Une porte *(a door)*. **Une** souris *(a mouse)*.

une calculatrice

Des is used for 'some' (when 'some' means more than one).

As we have already seen, when we want to say **the** referring to more than one thing we use **les.**
e.g. **Les** stylos **Les** gommes
In the same way when we want to say **some,** referring to more than one thing, we use **des.**
e.g. **Des** garçons *(some boys)*. **Des** filles *(some girls)*.
Des stylos *(some pens)*. **Des** gommes *(some erasers)*.

Now try the **'un, une, des'** RAP page 81

How to say who possesses things

We have already seen that in French things (as well as people)are either **masculine**, or **feminine**.

We have already seen that when we want to say **the** in French we use
le for **masculine** people or things (e.g. Le garçon. Le stylo).
la for **feminine** people or things (e.g. La fille. La gomme).

We use **les** for plurals, e.g. **Les** stylos. **Les** gommes.

We have also seen that when we want to say **a** (or **an**) we use **un** before **masculine** nouns, and **une** before **feminine** nouns.

In the same way, we can use the words **my, your, his** and **her.**

These are called possessive adjectives because they show that something is **belonging** to somebody.

Look at the table below:

masculine	feminine	plural	English
le	la	les	the
un	une	des	a/an/some
mon	ma	mes	my
ton	ta	tes	*your (familiar)
son	sa	ses	his/her

* This is used when referring to people who are familiar to you such as family, friends, children and also when referring to animals.

Here are some examples with some of the words you already know.

Mon stylo *(my pen).* **Ma** gomme *(my eraser).* **Mes** stylos *(my pens).*
Ton crayon. *(your pencil).* **Ta** trousse *(your pencil case).*
Tes calculatrices. *(your calculators).* **Son** agenda *(his or her diary).*
Sa règle *(his or her ruler).* **Ses** taille-crayons *(his or her sharpeners).*

Now try the RAP page 81

Here are the English Personal Pronouns

I. You. He. She. It. One.

*These are all **singular** as they only refer to one person.*

We. You. They.

*These are all **plural** as they refer to more than one person.*

Here are the French Personal Pronouns

Je *I*

Tu *You* (Familiar) (Use this when referring to children, friends, family and animals)

Il *He*

Elle *She*

On *One* This is used more frequently in French than in English.

Nous *We*

Vous *You* This can be used in two different ways.

1. When referring to a person you respect, such as a teacher, or an adult you don't know well.
2. When you are referring to more than one person.

Ils *They* Use this when referring to more than one masculine person or thing or a mixed group of people or things.

Elles *They* Use this when referring to more than one feminine person or thing.

Now try the 'Je Tu …' RAP! page 82

How to link the verb with the person doing the action.

There are five types of verbs in French.
Those ending in **er, ir, re** and **oir** and those that are **irregular.**
Most verbs in French are **regular er** verbs.
They are called regular because they follow a **regular** pattern.

The Infinitive

The infinitive of the verb is when it still has its ending attached, and when it means *to ... (something)*.
Here are some examples of infinitives of some regular **er** verbs.

Infinitive in French	Infinitive in English	Infinitive in French	Infinitive in Engish
jou**er**	to play	port**er**	to wear to carry
aim**er**	to like to love	écout**er**	to listen to
parl**er**	to speak	habit**er**	to live

When the ending **(er)** is taken off the infinitive, you are left with the **stem** of the verb. Here are some examples of **stems** of these regular **er** verbs.

Infinitive	Stem	Infinitive	Stem
jou**er**	jou	port**er**	port
aim**er**	aim	écout**er**	écout
parl**er**	parl	habit**er**	habit

Can you work out what the **stems** of these **er** infinitives would be?

regarder *to look at*	**aimer** *to like/love*	**chanter** *to sing*	**détester** *to hate*

The Present Tense

The Present Tense is the tense you use when you are referring to something that is happening **now.**

Before you use a verb you must take off the **er** and add the ending you need.

To form the present tense of any regular **er** verb you take the **stem** of the **infinitive** and add … **e es e ons ez ent.**

e	for the	**je**	part of the verb
es	for the	**tu**	part of the verb
e	for the	**il or elle or on**	part of the verb
ons	for the	**nous**	part of the verb
ez	for the	**vous**	part of the verb
ent	for the	**ils or elles**	part of the verb

Here is the present tense of the verb **jouer** to play.

Je joue	I play. I am playing. I do play
Tu joues	You (familiar) play. You are playing. You do play
Il/elle joue Il = *he* elle - *she*	He/She/It plays. He/She/It is playing. He/She/It does play.
Nous jouons	We play. We are playing. We do play.
Vous jouez	You (plural or formal) play. You are playing. You do play.
Ils/elles jouent ils = *they (masculine or mixed)* elles = *they (feminine only)*	They play. They are playing. They do play.

Some ‘regular’ **er** verbs

chanter	*to sing*
parler	*to speak*
jouer	*to play*
regarder	*to look at*
s’appeler*	*to be called*
quitter	*to leave*
rentrer	*to come back*
manger*	*to eat*
trouver	*to find*
habiter	*to live*
tourner	*to turn*
visiter	*to visit, to see round*
porter	*to wear or to carry*
écouter	*to listen to*
distribuer	*to give out*
adorer	*to adore*
aimer	*to like/to love*
préférer	*to prefer*
détester	*to hate*
retourner	*to return*
donner	*to give*

Now try the RAP! page 82

* slightly irregular

Some irregular verbs

We have already met some **regular er** verbs. These follow a regular pattern.

Here are four common **irregular** verbs, which do not follow a regular pattern, so they must be learnt individually!

Avoir	***to have***
J'ai	***I have***
Tu as	***You have***
Il a	***He/It has***
Elle a	***She/It has***
Nous avons	***We have***
Vous avez	***You have***
Ils ont	***They (masc./mixed) have***
Elles ont	***They (fem.) have***

Être	***to be***
Je suis	***I am***
Tu es	***You are***
Il est	***He/It is***
Elle est	***She/It is***
Nous sommes	***We are***
Vous êtes	***You are***
Ils sont	***They (masc./mixed) are***
Elles sont	***They (fem.) are***

Faire	***to make or to do***
Je fais	***I do/make***
Tu fais	***You do/make***
Il fait	***He/It does/make***
Elle fait	***She/It does/make***
Nous faisons	***We do/make***
Vous faites	***You do/make***
Ils font	***They (masc./mixed) do/make***
Elles font	***They (fem.) do/make***

Aller	***to go***
Je vais	***I go***
Tu vas	***You go***
Il va	***He/It goes***
Elle va	***She/It goes***
Nous allons	***We go***
Vous allez	***You go***
Ils vont	***They (masc./mixed) go***
Elles vont	***They (fem.) go***

Now try the RAP page 83

The Feminine of Adjectives

In French, adjectives have to **‘agree’** with their noun.

Therefore, if a noun is **masculine,** the adjective has also to be **masculine.**

If the noun is **feminine,** the adjective has also to be **feminine.**
e.g. The **green** pen. Le stylo **vert.**
But The **green** rubber. La gomme **verte.**

As you can see above the most common way of making an adjective **feminine** is to add an **e.**
e.g. La règle **bleue.** La trousse **noire.** La porte **grise.**

If the adjective already ends in an **e** then the adjective does not need to change. Easy!
E.g. La calculatrice **rouge.** La fenêtre **jaune.**

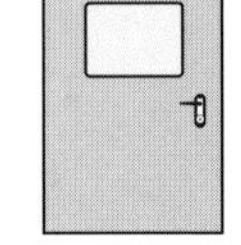

However, there are always exceptions in French and here are a few!

If the **masculine** adjective ends in an **l, n** or a **t** then this letter is doubled and an **e** added to make the **feminine** form.
e.g. **Gentil** *(kind)* becomes **gentille**
Mignon *(sweet)* becomes **mignonne**
Bon *(good)* becomes **bonne**
Violet *(purple)* becomes **violette.**

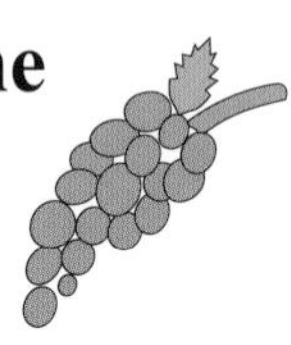

Some adjectives are **‘invariable’** which means they do not ever change. e.g. **marron.** La poubelle **marron**
(there is no **e** added even though **la poubelle** is feminine).

Of course, there are also totally irregular adjectives which have to be learnt! Here are some of the more common ones!

beau *(beautiful)* becomes **belle**
blanc *(white)* becomes **blanche**
vieux *(old)* becomes **vieille**

Describing things in French

Words that describe things are called adjectives.
Here are some French adjectives that can go before the noun as in English

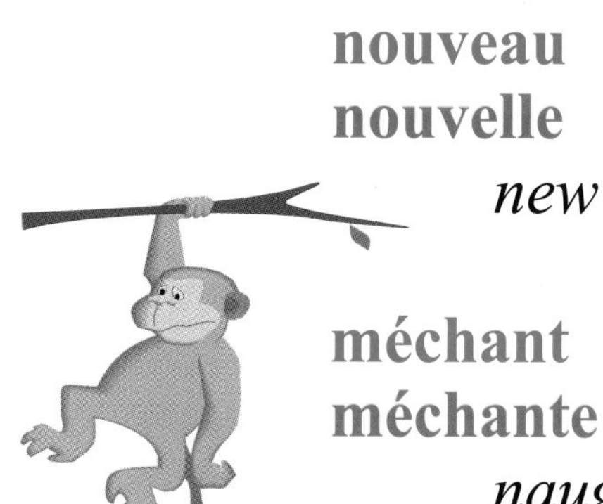

nouveau
nouvelle
new

vieux
vieille
old

méchant
méchante
naughty

jeune
jeune
young

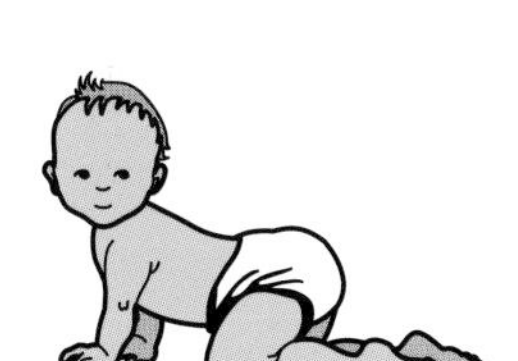

mauvais
mauvaise
bad

cher
chère
dear/expensive

bon
bonne
good

beau
belle
beautiful

vilain
vilaine
ugly

meilleur
meilleure
better

joli
jolie
pretty

long
longue
long

petit
petite
little

haut
haute
tall

grand
grande
big

gros
grosse
fat

Now try the SONG
page 84

Adjectives that follow the noun

Most adjectives follow the noun in French, whereas in English they go before the noun.

E.g. In English we say … the red pen
In French we say … the pen red **le stylo rouge**

In French

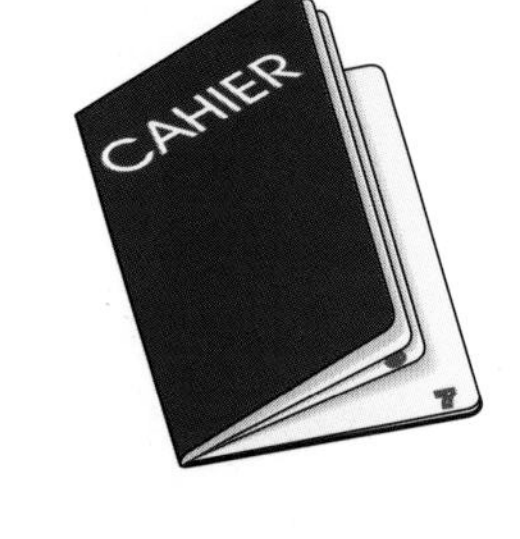

All adjectives of **colour** go **after** the noun.

E.g. **Le cahier bleu** **Le taille-crayon vert.**

All adjectives of **shape** go **after** the noun.

E.g. **la boîte carrée.** *The square box.*

All adjectives of **nationality** go **after** the noun.

E.g. **Le drapeau écossais.** *The Scottish flag.*

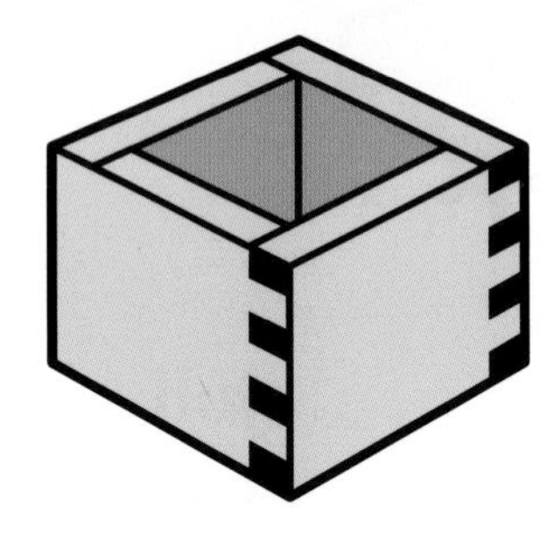

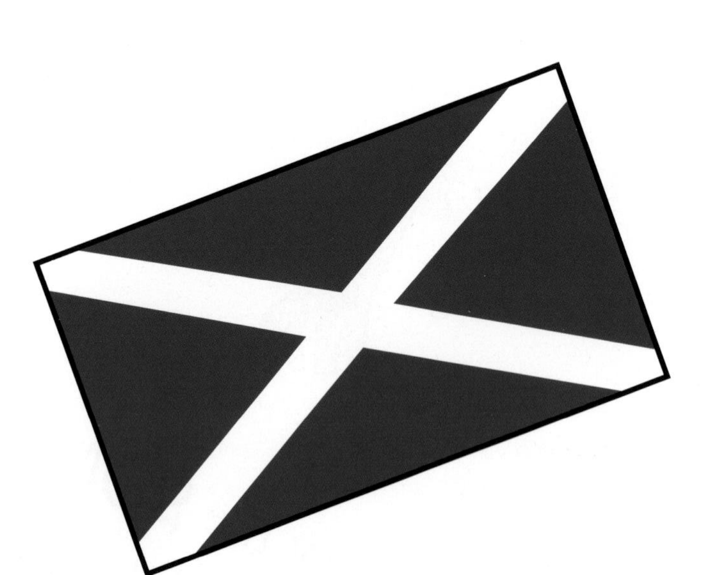

Now try the POEM
page 84

How to say the position of things in French

derrière
behind

sur
on

devant
in front of

entre
between

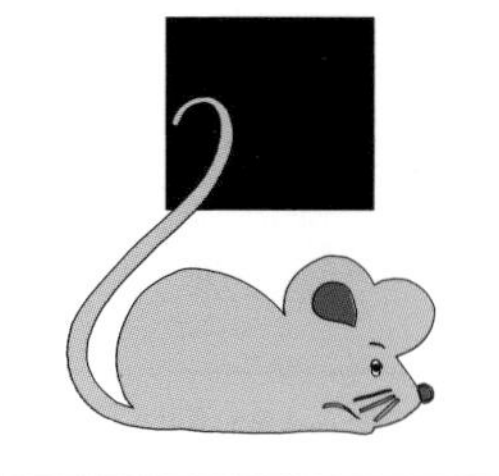

sous
under

dans
in

la souris
the mouse

la boîte
the box

La souris est derrière la boîte.
The mouse is behind the box.

La souris est devant la boîte.
The mouse is in front of the box.

La souris est sous la boîte.
The mouse is under the box.

La souris est sur la boîte.
The mouse is on the box.

Now try the SONG page 85

La souris est entre les boîtes.
The mouse is between the boxes.

La souris est dans la boîte.
The mouse is in the box.

How to say 'To the' or 'At the'

au à la aux

We have already learnt that in French things (as well as people) are either **masculine** or **feminine**.

We have already seen that when we want to say **the** in French we use **le la l'** or **les.**

When we want to say **a** (or **an)** in French we use **un** or **une** and when we want to say **some** in French (when referring to a plural) we use **des.**

We have also learnt that in French to say **my, your, his or her** we use **mon, ma, mes, ton, ta, tes** or **son, sa ses.**

Now we can look at **au à la aux** which we use when we want to say **to the** or **at the** in French.

masculine	feminine	plural	English
au	**à la**	**aux**	**to the** or **at the**

Here are some examples with words you already know.

au cinéma	**to** or **at the** cinema	**à la** maison	**to** or **at the** house
aux garçons	**to the** boys	**aux** filles	**to the** girls

If there is no mention of **'the'** just use **à** e.g. **à Paris**

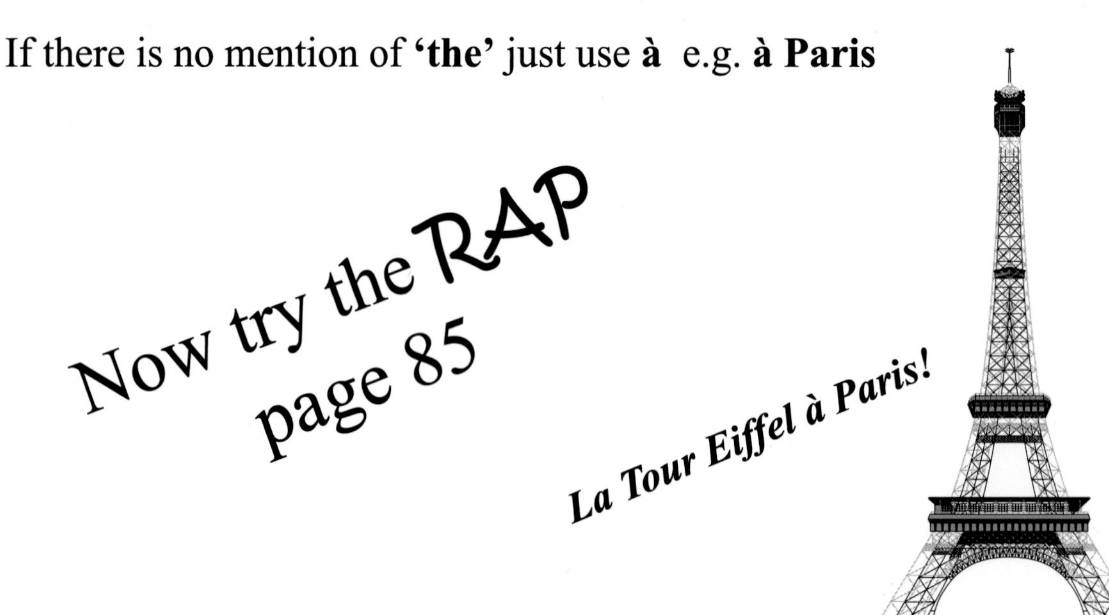

How to say 'Of the' or From the'

du de la des

We can now look at **du, de la** and **des** which we use when we want to say **of the** or **from the** in French.

(**du, de la** and **des** are also used when we want to say **some** in French.)
In this book we shall just be looking at **du de la** and **des** when it means **of the** or **from the** in French.

masculine	feminine	plural	English
du	**de la**	**des**	**of the** or **from the**

Here are some examples with words you already know.
Le nez du chien (The nose of the dog or the dog's nose).
Le nez de la souris (The nose of the mouse or the mouse's nose).
Les yeux des garçons (The eyes of the boys, or the boys' eyes).

If there is no mention of '**the'** use **de.**
e.g. de Paris ..... from Paris
Il est de Paris ..... He is from Paris.

Now try the RAP page 85

Rap

le la l' les (x 4)

Rap

un une des (x 4)

Comptine

Les garçons, les filles, les stylos, les gommes!
Les souris, les mois, les nez, les voix!
Les chapeaux, les bateaux,
Les jeux, les feux!
Les genoux, les hiboux,
Les animaux et les oiseaux!

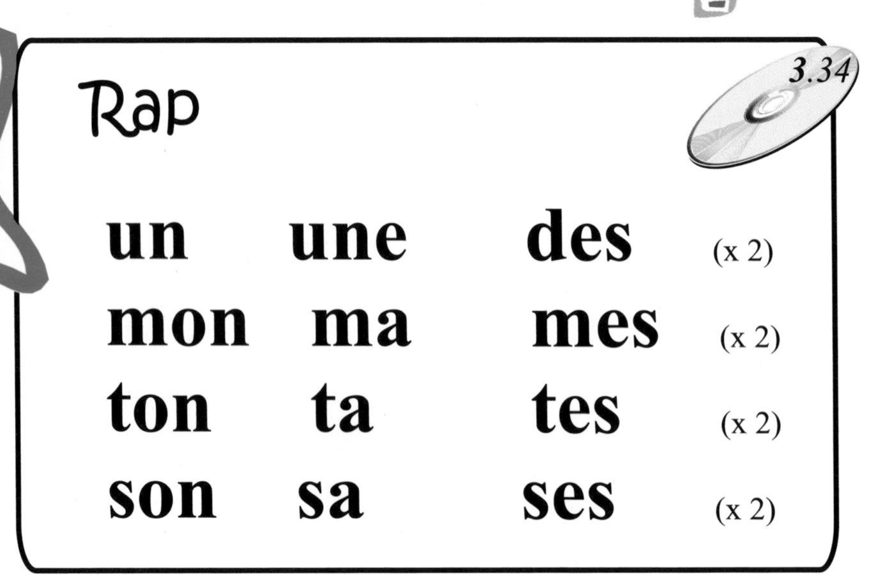

Rap

un une des (x 2)
mon ma mes (x 2)
ton ta tes (x 2)
son sa ses (x 2)

Rap

... les pronoms personels

Je
Tu
Il Elle On
Nous
Vous
Ils Elles (x 3)

Rap

chanter, parler, jouer, regarder!
E, ES, E, s'appeler!
ONS, EZ, ENT!
quitter, rentrer, manger, trouver!
E, ES, E, habiter!
ONS, EZ, ENT!
tourner, visiter, porter, écouter!
E, ES, E, distribuer!
ONS, EZ, ENT!
adorer, aimer, préférer, détester!
E, ES, E, retourner!
ONS, EZ, ENT!

Raps

Avoir

Avoir! Avoir! Avoir! Avoir!
J'ai
Tu as
Il a
Elle a
Nous avons
Vous avez
Ils ont
Elles ont

Être

Être! Être! Être! Être!
Je suis
Tu es
Il est
Elle est
Nous sommes
Vous êtes
Ils sont
Elles sont

Faire

Faire! Faire! Faire! Faire!
Je fais
Tu fais
Il fait
Elle fait
Nous faisons
Vous faites
Ils font
Elles font

Aller

Aller! Aller! Aller! Aller!
Je vais
Tu vas
Il va
Elle va
Nous allons
Vous allez
Ils vont
Elles vont

Some adjectives that may come BEFORE the noun

Chanson

Nouveau, méchant, mauvais, bon,

vilain, joli, petit, grand,

vieux et jeune, cher et beau,

meilleur, long, haut et gros!

Chanson 'le crocodile', page 28

Some adjectives that always come AFTER the noun

Comptine

la couleur! la forme! la nationalité!

verte, bleue, noire, blanche, grise!

la couleur! la forme! la nationalité!

circulaire, ou carré!

la couleur! la forme! la nationalité!

écossais! anglais! français!

Derrière!
Derrière, devant!
Sous, sur, entre, dans!
Derrière!
Derrière, devant!
Sous, sur, entre, dans! (x 2)

Rap

au à la aux! (x 4)

3.42

Rap

du de la des! (x 4)

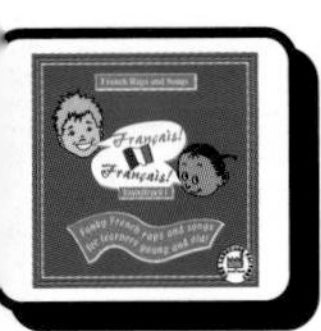

Les salutations *Greetings*
1. Conversation
   Comptine
   Rap. 'Bonjour, bonsoir, bonne nuit!'

Les couleurs *Colours*
2. Conversation
   Chanson 'De quelle couleur est-ce?'

Les nombres 1 - 20 *Numbers 1 - 20*
3. Conversation
   Rap 'Un, deux, trois!'

Les nombres 10 - 100 *Numbers 10 - 100*
4. Conversation
   Chanson 'Dix. Vingt. Dix. Vingt. Trente!'

La salle de classe *Classroom*
5. Conversation
   Chanson 'Dans ma trousse.'

L'heure *Time*
6. Conversation
   Chanson 'Bonjour, quelle heure est-il?'

L'alphabet *Alphabet*
7. Conversation
   Chanson 'A B C D...'

Les voyelles *Vowels*
8. Comptine
   Rap 'A E I O U'

Ma ville *My Town*
9. Conversation
   Chanson. 'Où habites-tu Hamish Mac?'

Ma famille *Family*
10. Conversation
    Chanson 'Ma famille'

Le temps *Weather*
11. Conversation
    Chanson 'Quel temps fait-il?'

Au café *Café*
12. Conversation
    Chanson 'Vous désirez, Madame?'

Les animaux domestiques
13. Conversation
    Rap 'As-tu un animal à la maison?'

14 - 26 Backing Tracks for Karaoke

14. Chanson **'Les salutations'**
15. Chanson **'Le couleurs'**
16. Rap **'Les nombres 1 - 20'**
17. Chanson **'Les nombres 10 - 100'**
18. Chanson **'La salle de classe'**
19. Chanson **'L'heure'**
20. Chanson **'L'alphabet'**
21. Rap **'Les voyelles'**
22. Chanson **'Ma ville'**
23. Chanson **'Ma famille'**
24. Chanson **'Le temps'**
25. Chanson **'Au café'**
26. Rap **'Les animaux domestiques'**

a *ah*	**e** *euh**	**i** *ee*	**o** *oh*	**u** *'u'**	**y** *eegrek*		
b *bay*	**c** *say*	**d** *day*	**g** *ʒay**	**p** *pay*	**t** *tay*	**v** *vay*	**w** *doobl'vay*
f *eff*	**l** *ell*	**m** *emm*	**n** *enn*	**s** *ess*	**z** *zed*		
h *ash*	**j** *ʒee**	**k** *kah*	**q** *k'u'**	**r** *err**	**x** *eeks*		

These sounds do not exist in English.
Listen to CD1, tracks 7 & 8 to hear the sounds.

CD 2 Track Listings

Les jours *Days*
1. Conversation
2. Chanson 'Lundi, mardi, mercredi'

Les mois *Months*
3. Conversation
4. Chanson 'Les mois'

Les couleurs *Colours*
5. Chanson 'Le tricolore'
6. Chanson 'Mes couleurs préférées'

Le corps *Body*
7. Devinette
8. Chanson 'Jacques a dit...'

Au zoo *Zoo*
9. Conversation
10. Chanson 'Le crocodile...
11. Rap 'Au zoo'

L'alphabet *Alphabet*
12. Chanson 'L'alphabet écossais'

Les salutations *Greetings*
13. Conversation
14. Chanson 'Bonjour fille....'

Tu es comment? *What are you like?*
15. Conversation
16. Chanson 'Tu es comment?'

Chez moi *My Home*
17. Conversation
18. Chanson. 'Ma Maison'

Les passe-temps *Hobbies*
19. Conversation
20. Chanson 'Mes passe-temps'

L'anniversaire *Birthday*
21. Conversation
22. Rap 'Quelle est la date....'
23. Chanson 'Bon Anniversaire'

Le temps *Weather*
24. Conversation
25. Chanson 'La pluie'

Les sports *Sports*
26. Conversation
27. Chanson 'Mon sport préféré'
28. Chanson 'Les sports'

A la ferme
29. Conversation
30. Rap 'A la ferme'.

31 - 50 Backing Tracks for Karaoke

31. Chanson **'Les jours'**
32. Chanson **'Le mois'**
33. Chanson **'Le tricolore'**
34. Chanson **'Mes couleurs préférées'**
35. Chanson **'Le corps'**
36. Chanson **'Le crocodile'**
37. Rap **'Au zoo'**
38. Chanson **'L'alphabet écossais'**
39. Chanson **'Les salutations'**
40. Chanson **'Tu es comment?'**
41. Chanson **'Ma maison'**
42. Chanson **'Mes passe-temps'**
43. Rap **'Quelle est la date..'**
44. Chanson **'Bon Anniversaire!'**
45. Chanson **'La pluie'**
46. Chanson **'Mon sport préfére'**
47. Chanson **'Les sports'**
48. Rap **'A la ferme'**
49. Chanson **'Dix. Vingt. Vingt et Un..'**
50. Chanson **'La famille'** *(basic version)*

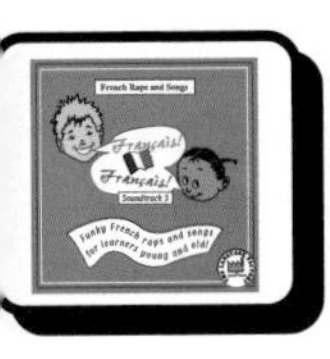

CD 3 Track Listings

Les matières scolaires *School subjects*
1. Conversation
2. Chanson 'Les matières scolaires'

Les instruments de musique *Musical instruments*
3. Conversation
4. Rap 'Les instruments musicaux'

Les transports *Transport*
5. Conversation
6. Chanson 'Comment vas-tu à l'école?'
7. Chanson 'Bateau, vélo, bus ou train'

Les vêtements *Clothes*
8. Conversation
9. Chanson 'La machine à laver'

Les maladies *Illnesses*
10. Conversation
11. Rap 'Les maladies'
12. Devinette 'Mal de mer'

Ma ville *My town*
13. Comptine
14. Conversation
15. Chanson 'Les directions'

Dans la forêt *In the forest*
16. Conversation
17. Rap 'Dans la forêt'

Ma journée *My day*
18. Conversation
19. Chanson 'Ma journée'

Les maths *Maths*
20. Rap 'Les maths'
21. Devinette (l'éléphant)
22. Conversation
23. Devinette (l'araignée)
24. Jeu de sons (saucissons)

Ma chambre *Bedroom*
25. Conversation
26. Chanson 'Ma chambre'

Les saisons *Seasons*
27. Conversation
28. Chanson 'Ma saison préférée'
29. Rap 'Les saisons'

30 - 43 Grammar Tracks

How to say **the** in French
30. Rap 'le la les'

How to say **'a'**, **'an'** or **'some'** in French
31. Rap 'un une des'

How to **describe things** in French
Adjectives that may come before the noun
32. Chanson 'nouveau, méchant, mauvais, bon'
33. Chanson 'Le crocodile'

How to say **who possesses things** in French
34. Rap 'mon ma mes'

How to say **who is doing the action of the verb** in French
35. Rap 'je, tu, il, elle, on'

How to say the verb **to be** in French.
36. Rap 'être'

Some easy **ER verbs**
37. Rap 'chanter, parler, jouer'

How to describe **the position of things** in French
38. Chanson 'derrière, derrière, devant'

How to say the verb **to have** in French
39. Rap 'avoir'

How to say the verb **to make** or **to do** in French
40. Rap 'faire'

How to say the verb **to go** in French
41. Rap 'aller'

How to say **to the** or **at the** in French
42. Rap 'au, à la, aux'

How to say **of the** or **from the** in French
43. Rap 'du, de la, des'

Backing Tracks for Karaoke

44. Chanson **'Les matières scolaires'**
45. Chanson **'Les instruments de musique'**
46. Chanson **'Comment vas-tu à l'école?'**
47. Chanson **'Bateau, vélo, bus ou train'**
48. Chanson **'La machine à laver'**
49. Rap **'Les maladies'**
50. Chanson **'Les directions'**
51. Rap **'Dans la forêt'**
52. Chanson **'Ma journée'**
53. Rap **'Les maths'**
54. Chanson **'Ma chambre'**
55. Chanson **'Ma saison préférée'**
56. Rap **'Les saisons'**

1. Les salutations

Greetings Conversation 1

Good Day! (or Good Morning) How are you?
I'm fine thanks! And you?
Fine thanks!
Goodbye! Sir!
See you later, Miss!
See you next week!

Greetings Conversation 2

What are you called?
I'm called Jean-Luc!
What is he called?
He's called Cyril!
What is she called?
She's called Rachael!
Thanks, Denis!
See you soon, Hugo!

Greetings Rap

Good Day! Good Evening! (or afternoon)
Good Night
How are you? Fine thanks!
Hello! What is your name?
I am called Michael!
Goodbye! See you soon!
Goodbye, Madam!

2. Les couleurs

Colours Conversation

What colour is this? It is pink! It is orange!
What are the colours of the French Flag?
Blue, white, red! Of course!

Colours Song

What colour? What colour?
What colour is this?
Red, yellow, green and blue!
What colour? What colour?
What colour is this?
Black, white, pink and brown (chestnut)
What colour? What colour?
What colour is this?
Purple, grey, orange?
What colour? What colour?
What colour is this?
Silver, gold, light blue?

3. Les nombres 0-20

Numbers 0-20 Conversation

Hello! How old are you? I'm ten years old, and you?
I'm eleven years old. How old is he?
He's nine years old!
How old is she? She is two years old!
Oh! She is sweet! Isn't she?
Yes! See you tomorrow!
Numbers 0-20 Rap
One, two, three. Four, five, six!
Seven, eight, nine and ten!
Eleven, twelve, thirteen, fourteen, fifteen!
Sixteen, seventeen, eighteen, nineteen, twenty.
How old are you? I'm nine!
How old are you? I'm ten!
How old are you? I'm eleven!
How old are you Eric?
How old is he? He's nine!
How old is he? He's ten!
How old is he? He's eleven!
How old is he? Eric?
How old is she? She's nine!
How old is she? She's ten!
How old is she? She's eleven!
How old is she, Eric?

4. Les nombres 10-100

Numbers 10-100 Conversation

Hey, Arnold! What is your phone number?
Me? It's 70617371! And you, Gueric?
Me? It's 70768191! And you,
Thomas and Paul?
Us? It's 70995341
That's for me! No! That's for me!
But No! That's for us!

Numbers 10-100 Song

Ten, twenty, ten, twenty, thirty.
Twenty, thirty, forty!
Forty, fifty and then sixty.
Sixty, seventy, seventy, eighty,
Eighty, ninety, and then it is a hundred!
Sixty-one. Seventy-three.
Seventy-one. Seventy-six.
Eighty-one. Ninety-one!
Ninety-nine then a hundred!
(Repeat chorus Dix, vingt, dix, vingt, trente etc.,)

5. La salle de classe

The Classroom Conversation

What is this? It is a computer!
What is there in your pencil case?
In my pencil case there is a biro, a sharpener, a rubber and some scissors.
What is there in your rucksack (school bag?)
In my bag there is a book, a jotter, a diary
and a calculator.
What is there in the classroom?
In the classroom there are some chairs, some tables, a rubbish bin and a teacher!

Classroom Song

In my pencil case there is a pen!
In my pencil case there is a ruler!
In my pencil case there are some scissors!
A rubber and a sharpener!
What is there? Where?
What is there in my pencil case?
In my bag there is a jotter!
In my bag there is a pencil case!
In my bag there is a diary!
A book and a calculator!
What is there? Where?
What is there in my ruck sack?
In the class there is a window,
A door and a computer!
Some chairs and some tables and a white board,
A rubbish bin and a teacher!
What is there? Where?
What is there in the classroom?

6. L'heure

Time Conversation

What time is it? It is ten o'clock!
What time do you leave the house?
I leave the house at eight o'clock!
What time do you have lunch?
I have lunch at midday!
What time do you go back home?
I go back home at four o'clock. (16.00 hrs)
What time do you have supper?
I have supper at six o'clock.
What time do you go to bed?
I go to bed at nine o'clock! Good Night!

The Time Song

Good Morning, what time is it? (tick tock)
It is eight o'clock, it is eight o'clock!
Good Day, what time is it?
It is midday! It is midday!
Good Afternoon, what time is it?
It is four o'clock, it is four o'clock!
Good Afternoon, what time is it?
Good Night, what time is it?
It is midnight, it is midnight!
Half past eight, a quarter past eight!
Twenty-five minutes to eight, and a quarter to.
Ten past eight, and twenty past eight!
Good Day, what time is it?

. L'alphabet

lphabet Conversation

hat are you called? I'm called Laurence!
low do spell that?
ou spell it L.A. U. R. E. N. C. E.

. Les voyelles

owels Conversation

E I O U — What are you called?
E I U O — I'm called Hugo!
I O U A — How are you?
E O U I — I'm fine thanks!
I O U E — See you later!

. Ma ville

y Town Conversation

here do you live?
live in Aberdeen in the North East of
cotland!
berdeen, is it is town or a village?
's a town!
hat is there in Aberdeen?
Aberdeen, there is a skating rink, a beach
nd an airport!
here do you live?
live in Alford, quite near to Aberdeen!
lford, is it a town or a village?
's quite a small village.

y Town Song

here do you live Hamish Mac?
here do you live? Where do you live?
le? I live in Aberdeen! I live in Aberdeen!
ell me where, exactly?
is in the North East of Scotland.
hat is there in Aberdeen?
Aberdeen in Scotland?
here is an ice-rink,
ome shops and some cinemas.
here is an airport,
Aberdeen in Scotland.
here is a hospital,
ome parks and a shopping centre,
here is a leisure centre,
Aberdeen in Scotland.

0. Ma famille

y Family Conversation

lave you any brothers or sisters?
es, I have a brother and a sister!
hat is he called, your brother?
le's called Jack!
low old is he? He is nine!
hat is your sister called? She is called Lucy.
low old is she? She is twelve.

My Family Song

My brother, my father and my grandfather!
My sister, my mother and my grandmother!
My uncle, my aunt, my cousins!
I have a cat and a dog!
Hello! Have you a sister?
Yes, Madam, I have two!
Have you a brother, Bastien?
Yes, my brother is called Alan!
I have a neice and a nephew,
A half brother and a half sister,
Have you some sisters, Monica?
No, I'm an only child!

11. Le Temps

Weather Conversation

What is the weather like, today?
Today? It is bad!
What is the weather like in Autumn?
In Autumn it is windy and it is bad!
What is the weather like in Winter?
In Winter it is cold and it snows!
What is the weather like in Spring?
In Spring it is fine, and it rains!
What is the weather like in Summer?
In Summer it is hot and it is sunny!
What is the weather like in Scotland?
In Scotland! Well! It is foggy and it
is always cloudy!

Weather Song

What is the weather like?
What is the weather like?
It is hot! It is hot!
It is sunny! It is sunny!
It is fine! It is fine!
What is the weather like?
What is the weather like?
It is cold! It is cold!
It rains, it rains it snows!
It rains, it rains, it snows!
It is cold! It is cold!
What is the weather like?
What is the weather like?
It is windy. It is windy.
It is cloudy. It is cloudy!
Come to my home! Come to my home!
What is the weather like?
What is the weather like?
It is bad! It is bad!
It is foggy! It is foggy!
What a day! What a day!

12. Au café

Café Conversation

What would you like, Madam?
I would like a pancake and a coke, please!
There you are, Have a good meal!
Thank you, Sir!
Waiter! The bill please!
That will be thirty francs*, please!
There you are, Sir, Goodbye!
Thank you Madam, See you soon.

Café Song

What would you like, Madam?
I would like a coffee,
And a tea with milk,
A beer for my father,
White wine for my mother,
A hamburger, and then a coke, and
A strawberry ice-cream for me!
What would you like, Madam?
I would like some chips,
And a lemonade,
Then an orange juice,
A ham sandwich,
There you are Sir, Madam,
Waiter, thank you,
The bill, please! Good heavens!

13. Les Animaux

Animals (Pets) Conversation

Have you a pet? Yes, I've a dog!
Oh! What is he called? He's called Max!
What colour is he? He's white!
How old is he? He's two!
Have you a pet?
No! I haven't! What a shame!

Animals (Pets) Rap

Have you a pet?
Yes I've a pet at home!
Yes I've a cat! Yes I've a dog!
Yes I've a hamster and a guinea pig!
Yes I've a mouse, and a tortoise!
Yes I've a gerbil, and a budgie!
Have you a pet?
Yes I've a pet at home!
Yes I've rabbit, and a fish,
Yes I've a pony and a snake!
Have you a pet in a cage?
No, I haven't! What a shame!

*The French Franc has now been replaced by the Euro

Les jours. ***Days***
1. Conversation

What day is it today?
It is Monday!
What day was it yesterday?
It was Sunday!
What day will it be tomorrow?
Tomorrow it will be Tuesday!

2. Chanson. Les jours. ***Song. Days***

Monday, Tuesday, Wednesday.
Thursday, Friday, Saturday, Sunday!
What day is it today?

Les mois. ***Months***
3. Conversation

What's your favourite month?
My favourite month is July!
Why?
Because it is hot, and it's my birthday!

4. Chanson. Les mois
Song. The months

January, February,
March, April, May!
June, July, August! (x2)
September, October,
November, December!
April, May, June, July! (x2)

5. Chanson. Le tricolore
Song. The French flag

The Tricolore!
The Tricolore!
Blue, white, red!
The Tricolore!

6. Chanson.
Quelle est ta couleur préférée?
Song. What is your favourite colour?

What is your favourite colour?
Black, white, brown?
Orange, purple?
What is your favourite colour?
Red, yellow, light blue, orange, purple?
My favourite colour is red.
My favourite colour is orange.
My favourite colour is yellow!
My favourite colour is white!

7. Devinette. Mon chien...
Joke. My dog...

My dog doesn't have a nose!
How does he smell, then?
Awful!

8. Chanson. Le corps
Song. 'Simon says..'

Jack said 'Touch your head!'
Jack said 'Touch your nose!'
Jack said 'Touch your mouth!'
...and 'Touch your ears!
Jack said 'Touch your hand!'
Jack said 'Touch your eyes!'
Jack said 'Touch your arms, like this!'
and 'Touch your hair!'
Jack said 'Touch your feet!'
Jack said 'Touch your forehead!'
Jack said 'Touch your legs!'
...and 'Touch your chin!'
Jack said 'Touch your back!'
Jack said 'Touch your neck!'
Jack said 'Touch your fingers, like this!'
....and 'Touch your knees!'

Au zoo ***At the zoo***
9. Conversation

What animals can you find at the zoo?
You find tigers and pandas at the zoo!
Oh! What colours are they?
The tiger is orange and black and
the panda is white and black!
What is your favourite zoo animal?
My favourite zoo animal is the elephant!
Why?
Because he is big and strong, but very kind!
What are your favourite animals?
My favourite animals are the seals
and the monkeys!
Why?
Because they are funny!
What birds can you find at the zoo?
You can find vultures and flamingos
at the zoo!

10. Chanson. Le crocodile
Song. The crocodile

The crocodile has some very big teeth!
Much bigger than mine!
The giraffe has a very long neck!
Much longer than mine!
The hippopotamus has a very fat tummy!
Much fatter than mine!
The naughty monkey has a little nose!
Much smaller than mine!

11. Rap. Au zoo
Song. At the zoo

What animals do you find at the zoo? (x3)
You can find several of them, there, at the zoo!
You can find a tiger and a penguin!
You can fine a lion and a dolphin!
You can find a panda and a camel!
You can find a shark and an adder!
What animals do you find at the zoo? (x3)
You can find several of them, there, at the zoo!
You can find a beautiful toucan, and a
polar bear!
You can find a naughty monkey,
and an elephant!
Can you find kangaroos at the zoo?
Can you find crocodiles at the zoo?
Can you find pelicans at the zoo?
Yes! You can find them there!
Good! Well done!
Careful! The hippopotamus!
The rhinoceros!
The giraffe!

12. Chanson.
L'alphabet écossais!
Song. The 'Scottish' Alphabet

A B C D
E F G H
I J K L M N
O P Q R
S T U V
W X Y Z

Les salutations ***Greetings***
13. Conversation

How are you?
Not well!
Why?
I've got a sore finger!
What a shame!

14. Chanson. Les salutations
Greetings Song

Good Day girl!
Good Day boy!
Good Night girl!
Good Night boy!
What are you called?
I'm called Jean Luc!
Hello girl! Hello boy!
Good Evening Sir!
Good Evening Madam!
Miss! Mr! Mrs!
How are you? I'm very well!
How are you? I'm fine!
Have a good weekend!
See you tonight, pal!
See you soon! God Bless!
See you tomorrow!
See you later, chum!
Have a good holiday, pal!
See you next week!
Have a good journey!

Tu es comment? ***What do you look like?***
15. Conversation

What do you look like?
I've got black, short, straight hair!
I've got blue eyes!
I'm quite big and I'm kind!
I wear glasses!

16. Chanson. Tu es comment?
Song. What do you look like?

What do you look like?(x5)
I've got black hair!
I've got blond hair!
I've got red hair!
I've got brown hair!
What do you look like? (x5)
I've got long hair!
I've got short hair!
I've got straight hair!
I've got curly hair!
What do you look like? (x5)
I've got blue eyes!
I've got green eyes!.

Les jours. ***Days***
1. Conversation

What day is it today?
It is Monday!
What day was it yesterday?
It was Sunday!
What day will it be tomorrow?
Tomorrow it will be Tuesday!

2. Chanson. Les jours. ***Song. Days***

Monday, Tuesday, Wednesday.
Thursday, Friday, Saturday, Sunday!
What day is it today?

Les mois. ***Months***
3. Conversation

What's your favourite month?
My favourite month is July!
Why?
Because it is hot, and it's my birthday!

4. Chanson. Les mois
Song. The months

January, February,
March, April, May!
June, July, August! (x2)
September, October,
November, December!
April, May, June, July! (x2)

5. Chanson. Le tricolore
Song. The French flag

The Tricolore!
The Tricolore!
Blue, white, red!
The Tricolore!

6. Chanson.
Quelle est ta couleur préférée?
Song. What is your favourite colour?

What is your favourite colour?
Black, white, brown?
Orange, purple?
What is your favourite colour?
Red, yellow, light blue, orange, purple?
My favourite colour is red.
My favourite colour is orange.
My favourite colour is yellow!
My favourite colour is white!

7. Devinette. Mon chien...
Joke. My dog...

My dog doesn't have a nose!
How does he smell, then?
Awful!

8. Chanson. Le corps
Song. 'Simon says..'

Jack said 'Touch your head!'
Jack said 'Touch your nose!'
Jack said 'Touch your mouth!'
...and 'Touch your ears!
Jack said 'Touch your hand!'
Jack said 'Touch your eyes!'
Jack said 'Touch your arms, like this!'
and 'Touch your hair!'
Jack said 'Touch your feet!'
Jack said 'Touch your forehead!'
Jack said 'Touch your legs!'
...and 'Touch your chin!'
Jack said 'Touch your back!'
Jack said 'Touch your neck!'
Jack said 'Touch your fingers, like this!'
....and 'Touch your knees!'

Au zoo ***At the zoo***
9. Conversation

What animals can you find at the zoo?
You find tigers and pandas at the zoo!
Oh! What colours are they?
The tiger is orange and black and
the panda is white and black!
What is your favourite zoo animal?
My favourite zoo animal is the elephant!
Why?
Because he is big and strong, but very kind!
What are your favourite animals?
My favourite animals are the seals
and the monkeys!
Why?
Because they are funny!
What birds can you find at the zoo?
You can find vultures and flamingos
at the zoo!

10. Chanson. Le crocodile
Song. The crocodile

The crocodile has some very big teeth!
Much bigger than mine!
The giraffe has a very long neck!
Much longer than mine!
The hippopotamus has a very fat tummy!
Much fatter than mine!
The naughty monkey has a little nose!
Much smaller than mine!

11. Rap. Au zoo
Song. At the zoo

What animals do you find at the zoo? (x3)
You can find several of them, there, at the zoo!
You can find a tiger and a penguin!
You can fine a lion and a dolphin!
You can find a panda and a camel!
You can find a shark and an adder!
What animals do you find at the zoo? (x3)
You can find several of them, there, at the zoo!
You can find a beautiful toucan, and a
polar bear!
You can find a naughty monkey,
and an elephant!
Can you find kangaroos at the zoo?
Can you find crocodiles at the zoo?
Can you find pelicans at the zoo?
Yes! You can find them there!
Good! Well done!
Careful! The hippopotamus!
The rhinoceros!
The giraffe!

12. Chanson.
L'alphabet écossais!
Song. The 'Scottish' Alphabet

A	B	C	D		
E	F	G	H		
I	J	K	L	M	N
O	P	Q	R		
S	T	U	V		
W	X	Y	Z		

Les salutations ***Greetings***
13. Conversation

How are you?
Not well!
Why?
I've got a sore finger!
What a shame!

14. Chanson. Les salutations
Greetings Song

Good Day girl!
Good Day boy!
Good Night girl!
Good Night boy!
What are you called?
I'm called Jean Luc!
Hello girl! Hello boy!
Good Evening Sir!
Good Evening Madam!
Miss! Mr! Mrs!
How are you? I'm very well!
How are you? I'm fine!
Have a good weekend!
See you tonight, pal!
See you soon! God Bless!
See you tomorrow!
See you later, chum!
Have a good holiday, pal!
See you next week!
Have a good journey!

Tu es comment? ***What do you look like?***
15. Conversation

What do you look like?
I've got black, short, straight hair!
I've got blue eyes!
I'm quite big and I'm kind!
I wear glasses!

16. Chanson. Tu es comment?
Song. What do you look like?

What do you look like?(x5)
I've got black hair!
I've got blond hair!
I've got red hair!
I've got brown hair!
What do you look like? (x5)
I've got long hair!
I've got short hair!
I've got straight hair!
I've got curly hair!
What do you look like? (x5)
I've got blue eyes!
I've got green eyes!.

Les matières scolaires
School Subjects
1. Conversation

What is your favourite school subject?
It is ICT!
Why?
Because it is interesting and easy!
What is your worst school subject?
It is biology.
Why?
Because it is boring and awful!

2. Chanson.
Quelle est ta matière préférée?
Song. What is your favourite school subject?

What is your favourite school subject?
history, maths, german, english?
What is your favourite school subject?
ICT or french?
Sport is my favourite subject!
I like the sciences and biology.
I like chemistry and physics.
I like drama and music.

Les instruments de musique
Musical Instruments
3. Conversation

Do you play an instrument?
Yes, I play the piano!
And you, do you play an instrument?
Yes I play the recorder and the clarinet!
Do you play an instrument?
No, I don't play an instrument!

4. Rap. Les instruments
Rap. Instruments

Do you play an instrument?
Yes, I play the saxophone!
the piano, the violin!
I play the accordion!
And you, do you play, Juliette?
No, I play the trumpet!
The flute, the guitar!
I play the clarinet!
The recorder, the cymbals,
the keyboard, the kettle drums!
What do you play?
Me? I play the oboe!
The bassoon, the cello.
The bagpipes are so beautiful!
What do you play, Marie?
Me? I love the drums!

Les transports ***Transport***
5. Conversation

How do you go to school?
I go to school by car.
How do you go to school?
I go to school by bus, but sometimes on foot.
Do you go to school on the train?
Occasionally!
Do you go to school in a flying saucer?
In a flying saucer? Never!

6. Chanson. Comment vas-tu à l'école!
Song. How do you go to school?

How do you go...
How do you go to school? (x2)
(on a tricycle?)
I get there on the tube and then by ship,
Then by lorry, in a flying saucer!
On foot, on skates,
By car, on the train!
At last I arrive at school!
How do you go? How do you go to school?
(on a plane?)
I get there by bike, then by moped!
I get there by hot air balloon, by motorcycle!
By bus, on horseback!
Then by rocket!
At last I arrive at school! Tired!

7. Chanson. Les transports
Song. Transport

Boat, bike, bus or train!
Pony, plane, foot, skate, car!
How do you go to school?
You? How do you go?
How do you go to school?

Les vêtements
Clothes
8. Conversation

What is this?
It is a dark green pullover!
What are you wearing?
I'm wearing a white shirt and black trousers!
Describe your uniform.
I'm wearing a tartan kilt, a navy blue blazer and a blue and yellow tie.
How ghastly!

9. Chanson. La machine à laver
Song. The Washing Machine

In the washing machine there is... a blue and green pullover (x2)
In the washing machine there is.. my mother's blue and green pullover!
In the washing machine there are... black and white shorts and my mother's blue and green pullover!
In the washing machine there are purple gloves, black and white shorts and my mother's blue and green pullover!
In the washing machine there are grey trousers, purple gloves, black and white shorts and my mother's blue and green pullover!
In the washing machine there are smelly socks, grey trousers, purple gloves, black and white shorts and my mother's blue and green pullover!

Les maladies ***Illnesses***
10. Conversation

How are you?
I'm not well!
Why?
I've got a sore arm!
What a shame!
What should you do?
You should go to the doctors!
You should go to the chemist!
You should go to the hospital!
You should go back to bed!
Yes! Good idea!

11. Rap. Les maladies!
Rap. Illnesses

How are you?
I'm not well!
Why?
I've got a sore finger / arm!
I've got sore feet!
I've got a sore nose!
I've got sore knees!
I've got a sore neck!
I've got a sore forehead!
I've got a sore chin!
I'm sore everywhere!

I feel sick!
I've got sore eyes!
I've got sore ears!
I've got sore big toes!
I've got sore elbows!
I've got sore cheeks!
I'm sore everywhere!

12. Devinette ***Joke (Sea sick)***

What is green and goes up and down?
A sailor who is sea sick!

13. Comptine. Ma ville
Poem. My Town

Some shops. An ice rink.
A fairground. A cinema.
An airport. A library!
This evening it's the disco!
GREAT!

14. Conversation

Excuse me, sir, to get to the bank please?
Turn right, then turn left, then go straight on!
Thanks a lot! Goodbye!

15. Chanson. Les directions
Song. Directions

Excuse me, sir, to get to the bank / post office, please?
Turn right, then...
Turn left, then
Go straight on, there it is!
Thanks a lot!
Excuse me, sir, to get to the stadium / park, please?
Turn right, then...
Turn left, then...
Go straight on, there it is!
Thanks a lot!

Les animaux Dans la Forêt
Animals
16. Conversation

What animals can you find in the forest?
You can find foxes, moles and sometimes badgers in the forest.
What is your favourite forest animal?
My favourite forest animal is the deer.
Why?
Because it is big, beautiful and majestic!
What birds can you find in the forest?
You can find owls, cuckoos, swallows, larks and sometimes, eagles, in the forest.
What is your favourite forest bird?
My favourite forest bird is the owl!
Why?
Because it is very wise!
What is your favourite insect?
None! I hate insects!

17. Rap. 'Dans la forêt'
Rap. In the forest

What can you find in the forest? (x3)
You can find everything in the forest!
You can find the fox and the badger!
You can find the squirrel and the snail (yuk!)
You can find the mole and the pretty fawn (sweet!)
You can find the dormouse and the hedgehog!
What can you find in the forest? (x3)
You can find everything in the forest!
You can find the deer and the cuckoo!
You can find the caterpillar and the owl!
Here are ants two by two!
Here is the bee amongst the flowers!
Here is the wasp! Oh, how I'm afraid!
Oh no! It's the spider! How horrible!

Ma journée ***My Day***
18. Conversation

What do you do in the morning?
I wake up. I get up. I wash and shower.
I get dressed then I hurry!

19. Chanson. Ma journée
Song. My Day

I wake up at 7 o'clock (tick tock)
I get up and I wash
I wake up at 7 o'clock (tick tock)
At a quarter past 7 I shower (tick tock)
At twenty past seven I get dressed
...and have breakfast. (tick tock)
I leave the house too late!
I go to school on foot.
I hurry. I arrive on time.
At midday it is lunch! (tick tock)
I go home at 16.00 hours! (x2)
I have tea,
I have dinner,
After that I go to bed at nine! (tick tock)
I wake up. I get up.
I wash and I shower!
I get dressed and I hurry!
After that I go to bed at nine! (tick tock)

Nombres ***Numbers***
20. Rap. Les maths ***Rap. Maths***

One add five equals six.
One add nine equals ten.
Seven minus one equals six.
Eleven minus one equals ten.
Two times ten equals twenty.
Five times four equals twenty.
Six divided by two equals three.
Blow! This is too much for me!

21. Devinette (éléphant)
Joke. Elephant

What is the difference between an African elephant and an Asian elephant? - I don't know!
10,000 kilometres!

22. Conversation. Les maths

What is it?
It is thirty.
What is it?
It is sixty.
What is one add five?
One add five is six.
What is ten minus one?
Ten minus one is nine.

23. Devinette (araignée)
Joke. (spider)

What has eight legs, two wheels, and goes really fast? - I don't know!
A spider on a motorbike!

24. Jeu de sons (saucisson)
Tongue Twister (sausages)

Sixty-six sausages!
Sixty-six sausages!
Sixty-six sausages!

Ma chambre ***My Bedroom***
25. Conversation

What is your bedroom like?
It is quite small.
What have you got in your bedroom?
In my bedroom I have a bookshelf, a double bed, and a television!
A television! You lucky thing!

26. Chanson. Ma chambre
Song. My Bedroom

In my beautiful room,
I have a hi fi, a wardrobe and a rug.
A chair and a fridge,
A lamp and a double bed!
A sofa, a bookshelf,
A basin and a shower!
An armchair, a TV,
And here is my fat teddy!

Les saisons ***The seasons***
27. Conversations. Les saisons

Conversation. The seasons
Autumn, Winter, Spring, Summer.
What is the date of your birthday?
My birthday is on the 19th of August!
Is it in Autumn?
No! It is in Summer!
What is the date of your birthday?
My birthday is on the 11th of May!
What season is it in?
It is in Spring, of course!
What is the weather like in Spring?
It is fine, but it rains!
What is your favourite season?
My favourite season is Autumn!
Why?
Because I love the wind and the grey clouds!

28. Chanson.
Quelle est ta saison préférée?
Song. What is your favourite season?

What is your favourite season?
Autumn. Winter. Spring or Summer? (x2)
Autumn is my favourite season.
I like the months when the weather is bad!
I like the wind and the grey sky!
And, in Autumn it is Halloween!
Winter is my favourite season.
Merry Xmas and then Happy New Year!
I like the snow in the wood.
Yes, in Winter, it is very cold!
Spring is my favourite season!
I like the flowers in March, April & May!
I like the Easter holidays and the rain!
And in Spring, I go skiing!
Summer is my favourite season!
I like the heat and the sun!
It is such good weather! I sing! I dance!
Because in Summer I am on holiday!

29. Rap. Les saisons
Rap. Seasons

Autumn, Winter, Spring, Summer (x3)
Spring Summer!
In Autumn it is windy!
In Autumn it is bad weather!
In Winter it is cold!
In Winter it snows! It snows!
In Spring it is fine!
In Spring it rains! It rains!
In Summer it is hot!
In Summer it is sunny!

Acknowledgements

The author would like to thank the following establishments and individuals for their help and support during the writing of this book and production of the accompanying CDs.

Music Production and Sound Mixing
Niall Mathewson The Mill Recording Studio, Crathes
Ben Rose

Design and Typsetting
Eileen West Topstory

Colleagues at Robert Gordon's College
Mr I. Black, Former Headmaster of Robert Gordon's Junior School,
Mr T. Cumming, Mrs M. Lowdon, Mrs P. Thomson, Mr L. Inness,
Mr G. Bowman, Mr G. Calder, Mrs R. Elliot-Jones, Mrs D. Parlour,
Mrs V. McGillivray, Mrs D. Hardie, Mr J. Clunas, Mlle I. Gourdin.

French Friends
M. Albert and the Ecole Total, Aberdeen.
Mme Sylvie Grigas. M. Philippe Couineaux (Walker Road School, Aberdeen)
The De Soras Family.

Friends who have inspired me, and whose support (not only book and CD related) has been appreciated.
Mary Farries, Judy Procter, Norman Burtt, Glenda Stuart, Colin Welsh,
Mike Manthorpe, Liz Smith, Mariam and the Stephen Jota Foundation (Uganda),
Liz Clark, Pat Richard, Sue Rutherford, Kathryn Mearns, Jeanette Bolingbroke,
Moira & Brian Holden, Douglas Conochie, Trev and Fran Crofts, Sue Knox,
Margaret Donald, Bert McIntosh, Gillian McDonald (Ottakers Book Shops).

Mr R. Harding, Miss J. Gates, *Thanks! It all came together in the end!*

Dedicated to my husband Alan and my children Lucy, Jack, Andrew, Kirsty and Max (our dog) and all my triathlon and running friends.

'Le bonheur est simple!' *Being happy is straightforward!*

'Live simply so others can simply live!'
.......from Mary

Printed by

Notes

Notes